みんなが欲しかった！

合格への
はじめの一歩

マンション管理士・
管理業務主任者

JN069242

TAC出版
TAC PUBLISHING Group

はしがき

　現在の日本では、10人に1人以上がマンションで暮らしています。土地を効率的に利用できるマンションがさらに増えることが見込まれる一方で、居住者の高齢化や既存のマンションの老朽化にともなう大規模修繕や建替えなどに関するトラブル等が、大きな社会問題となっています。

　このような背景から、国家資格であるマンション管理士や管理業務主任者に対して、社会のニーズが高まっています。しかしながら、「法律や建築設備などの学習が初めてでも大丈夫だろうか？」と不安に思う方も多いことでしょう。そこで、マンション管理士・管理業務主任者試験に初めてチャレンジする方のために、"本気でやさしい入門書"として本書を制作しました。

＊＊＊わかりやすさを追求した「2部構成」＊＊＊

① 「オリエンテーション編」
　　読みやすいフルカラーのレイアウトで、マンション管理士・管理業務主任者両資格の全体像をしっかり紹介しています。

② 「入門講義編」
　　合格に必要な「基礎中の基礎」の知識を、イラストや「板書」を多用して、できるかぎりわかりやすく説明しました。

　本書では、マンションの購入を検討している方や、はじめてマンション管理組合の理事になった方等にもおすすめです。また、マンション管理士・管理業務主任者試験臨む方は、必要な基本をしっかりつかんで、合格への「確かな一歩」を踏み出しましょう！

2024年11月
ＴＡＣマンション管理士・管理業務主任者講座

合格までの活用方法

TAC出版のマンション管理士・管理業務主任者書籍

スタート ▶ テキスト 反復 ▶ 問題集

合格への はじめの一歩

併用

本書です！

マン管・管業試験合格のための "本気でやさしい" 入門書です。

速習テキスト ・ 基本テキスト

マン管 / 管業

合格に十分な知識量とわかりやすさを兼ね備えた、初学者から再受験者までサポートするテキストです。

過去問題集

マン管 / 管業

8年分（＋2年分）の本試験問題を、使いやすい2分冊形式で分野・テーマ別に収録した過去問集です。詳しい解説で実力アップを狙いましょう！

マン管・管業 総合テキスト

全3冊〔上・中・下〕

併用

共通科目の多いマン管・管業試験でよく狙われるポイントをきっちりまとめたテキストです。

一問一答セレクト1000

マン管 / 管業

過去の本試験の全出題から頻出・重要テーマを1000肢厳選。ポケットサイズ・赤シート付きで、スキマ時間の復習にもピッタリ！！

TAC出版は、各学習段階に沿った
さまざまなアイテムを用意しています。
ここでは、各アイテムの「合格までの活用方法」をご紹介します！

効率学習 → 直前対策

合格!!

ココだけチェック！
マン管・管業
パーフェクトポイント整理

併用

マン管・管業試験の頻出
論点を、赤シートを使って
スピード復習OK！
1論点・1見開き完結の
レイアウトで見やすくわか
りやすい「暗記本」です。

ラストスパート
直前予想模試

マン管　　管業

直前期の力試しができる
予想模試。難易度別に
本試験と同形式3回分
（計150問）を収録。

30日間完成
横断学習

併用

マン管・管業試験の重要
用語・数字の復習や知識
の横断整理に最適な1冊。
重要ポイントを手を使っ
て覚えられる"書き込み
タイプ"です。

出るとこ予想
合格るチェックシート

マン管　　管業

最重要論点を「50項目」
にバッチリ整理。試験直
前はここだけ覚えましょ
う！

「合格へのはじめの一歩」 *Contents*

はしがき
TAC出版書籍・合格までの活用方法
本書を利用した学習法

オリエンテーション編

「マンション管理士・管理業務主任者」
になるまで ……………………………… x

「マンション管理士・管理業務主任者」
ってどんな資格？ ………………………… xii

「マンション管理士・管理業務主任者」
ってどんな試験？ ………………………… xvii

入門講義編

CHAPTER 1
区分所有法

Sec.1　用語の定義 ………………… 4

Sec.2　専有部分と
　　　　共用部分 ………………… 8

Sec.3　敷地利用権 ………………… 14

Sec.4　管理者 ……………………… 18

Sec.5　規　約 ……………………… 22

Sec.6　集　会 ……………………… 26

Sec.7　管理組合法人 …………… 32

Sec.8　義務違反者に対する
　　　　措置 ………………………… 38

Sec.9　復旧・建替え …………… 42

Sec.10　団　地 …………………… 48

　　　　過去問チェック！ ……………… 53

CHAPTER 2
マンション標準管理規約

Sec.1　単棟型の
　　　　標準管理規約 ① ……… 56

Sec.2　単棟型の
　　　　標準管理規約 ② ……… 66

Sec.3　単棟型の
　　　　標準管理規約 ③ ……… 70

Sec.4　単棟型の
　　　　標準管理規約 ④ ……… 76

Sec.5　団地型の標準管理規約
　　　　……………………………………… 78

Sec.6　複合用途型の
　　　　標準管理規約 …………… 82

　　　　過去問チェック！ ……………… 85

CHAPTER 3
民　法

Sec.1　意思表示 …………………… 90

Sec.2　代　理 ……………………… 96

Sec.3　時　効 ……………………… 102

Sec.4　不動産物権変動 ……… 108

Sec.5　共　有 ……………………… 110

Sec.6　契約の種類・
　　　　成立等 ……………………… 114

Sec.7 売買契約 ……………… 118

Sec.8 賃貸借契約 …………… 122

Sec.9 請負契約・
委任契約 …………… 126

Sec.10 債務不履行と
契約の解除 ……… 132

Sec.11 債権の担保 ………… 138

Sec.12 不法行為 …………… 146

Sec.13 相 続 …………… 150

過去問チェック！ ……………… 153

CHAPTER 4
その他の法令

Sec.1 建替え等円滑化法 … 158

Sec.2 被災マンション法 …… 162

Sec.3 宅建業法 …………… 166

Sec.4 借地借家法 ………… 170

Sec.5 住宅品質確保法 …… 178

Sec.6 不動産登記法 ……… 180

過去問チェック！ ……………… 183

CHAPTER 5
実務・会計

Sec.1 滞納管理費等に対する
措置 ……………… 186

Sec.2 標準管理委託
契約書 …………… 190

Sec.3 会計・税務 ……… 196

過去問チェック！ ……………… 200

CHAPTER 6
建築・設備

Sec.1 マンションの
建築・設備 ……… 202

Sec.2 マンションの建築等に
関する法規制 ……… 214

Sec.3 マンションの維持保全
……………… 220

過去問チェック！ ……………… 223

CHAPTER 7
マンション管理適正化法

Sec.1 「マンション管理
適正化法」とは …… 226

Sec.2 マンション管理に
関わる者 ………… 230

Sec.3 マンション管理業者の
義務 ……………… 234

Sec.4 基本方針等 ………… 237

過去問チェック！ ……………… 239

さくいん ……………………… 241

本書を利用した学習法

① 「オリエンテーション編」で、資格や試験の内容を理解しよう!

まずは、「マンション管理士・管理業務主任者って、どんな仕事をするの?」「どんな試験なの?」など、資格の詳細について、イラストとともに楽しく見ていきましょう。

② 「入門講義編」で、合格のための基礎知識を学ぼう!

ここでは、試験の重要なテーマで、かつ、「理解の土台」となる基礎知識を、わかりやすくまとめています。やさしい言葉と手書きふうの「板書」を使って解説していますので、学習がはじめての方でも、ムリなくスムーズに読み進めることができます。

このSectionで学習する内容を、イメージでおおまかに理解しましょう。

「板書」:
合格に必須の重要ポイントが一目瞭然です!

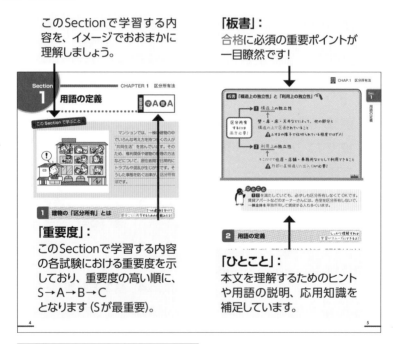

「重要度」:
このSectionで学習する内容の各試験における重要度を示しており、重要度の高い順に、
S→A→B→C
となります（Sが最重要）。

「ひとこと」:
本文を理解するためのヒントや用語の説明、応用知識を補足しています。

「過去問チェック!」:
「入門講義編」を読んですぐ解ける問題を厳選しています!

オリエンテーション編

「マンション管理士・管理業務主任者」に なるまで

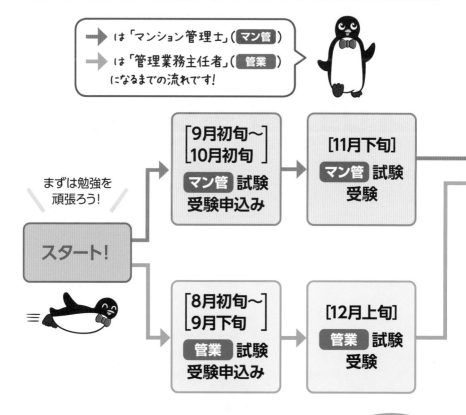

➡ は「マンション管理士」(マン管)

➡ は「管理業務主任者」(管業) になるまでの流れです!

まずは勉強を 頑張ろう!

スタート!

[9月初旬〜 10月初旬] マン管 試験 受験申込み

[11月下旬] マン管 試験 受験

[8月初旬〜 9月下旬] 管業 試験 受験申込み

[12月上旬] 管業 試験 受験

管理事務の 実務経験が あるかが問われます

マン管・管業 両方とも年に1回 試験がありますよ!

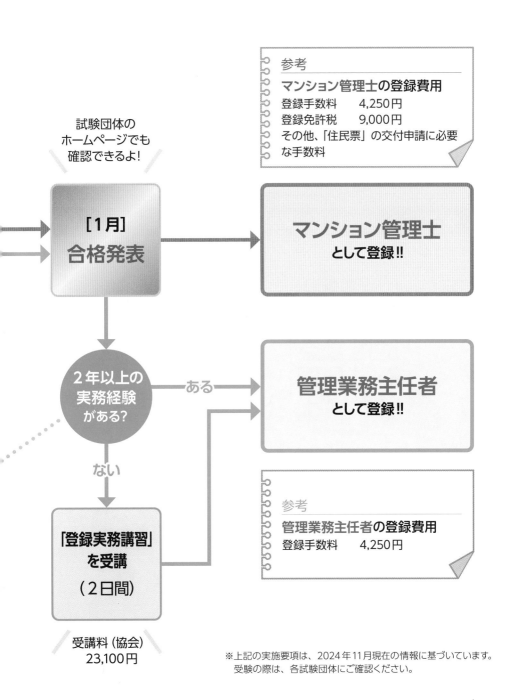

試験団体の
ホームページでも
確認できるよ!

参考

マンション管理士の登録費用

登録手数料　　4,250円
登録免許税　　9,000円
その他、「住民票」の交付申請に必要な手数料

[1月]
合格発表

マンション管理士
として登録!!

2年以上の
実務経験
がある?

ある

管理業務主任者
として登録!!

ない

参考

管理業務主任者の登録費用

登録手数料　　4,250円

「登録実務講習」
を受講
（2日間）

受講料（協会）
23,100円

※上記の実施要項は、2024年11月現在の情報に基づいています。
受験の際は、各試験団体にご確認ください。

「マンション管理士・管理業務主任者」って どんな資格?

「マンション管理士・管理業務主任者って
どんな資格? どんなメリットがあるの?」
そんな疑問にお答えします!

🔖 マンション管理士・管理業務主任者は、こうして生まれた!

現在、日本では、10人に1人が分譲マンションで暮らしているといわれます。

マンションでの生活が暮らしに身近になった一方で、マンションの管理を居住者だけで行うことが難しくなってきました。

近年、老朽化したマンションの増加が大きな問題となっていますが、マンションの修繕・建替えなどを居住者だけで計画するのはなかなか困難です。

ほかにも、居住者の高齢化や管理費の長期滞納など、問題は複雑・多様化しています。

そこで、マンション管理適正化法というマンション専門の法律によって設けられたのが、マンション管理の専門家である**マンション管理士・管理業務主任者**です。

🏷 「マンション管理士」「管理業務主任者」とは、どんな資格?

マンション管理士・管理業務主任者は、どちらも「マンション管理適正化法」という法律に基づく**国家資格**であり、両者は、**マンション管理の専門家**という点で共通しています。

マンション管理士は、マンションの管理について、管理組合（マンション管理のための居住者による組織）などからの**相談に応じて、助言や指導・援助**を行います。

マンション管理士は、マンションの管理・運営に関して必要な法律・会計・建築などの幅広い内容を取り扱うコンサルタントとして、居住者にとって**心強い味方**です。

管理業務主任者は、主にマンション管理会社に勤務して、管理会社が、管理組合と管理受託契約を結ぶ際の、重要事項の説明や、管理組合に対する管理事務の処理状況の報告を行います。

「管理計画認定制度」「マンション管理適正評価制度」とは、どんな制度?

管理計画認定制度は、マンションの管理に関する計画（管理計画）を各自治体が認定する制度です。

自治体に認定を受ける前に、マンション管理センターで事前に認定基準に適合しているかチェックができますが、マンション管理士が、この事前チェックを担当します。

マンション管理適正評価制度は、マンションの管理状態や管理組合運営の状態を6段階で評価し、インターネットを通じて情報を公開する仕組みです。マンション管理士と管理業務主任者は、この制度における評価者になれます。

🖊 資格取得後① 「マンション管理士」は、独立開業できる！

マンション管理士の資格を取得すれば、独立して開業することができます。

定年後のセカンドライフを豊かにするためにマンション管理士を目指す方も、多くいらっしゃいます。

🖊 資格取得後② 「管理業務主任者」は、特に就職・転職に有利！

管理業務主任者の資格は、マンション管理会社への**就職**に**非常に役立ちます。**

マンション管理会社には、原則、一定数の管理業務主任者を常勤させなければならないため、管理業務主任者は**必要不可欠**な人材です。

🏷 資格取得後③　マンションライフに役立つ!

仕事で活用することだけが、資格のメリットではありません。

マンションの購入を考えている方や、すでにマンションに住んでいる方にとって、マンション管理士・管理業務主任者の資格を取得するために学習したことが、**自らのマンション生活**に役立ちます。

🏷 他の資格との関係　クアドラプルライセンスを目指そう!

学習内容に共通性のある資格としては、**宅地建物取引士（宅建士）・賃貸不動産経営管理士**（賃管士）も挙げられます。

マンション管理士・管理業務主任者・**宅建士・賃管士のクアドラプルライセンス**を取得すれば、さらに就職・転職などに有利です。

これから就職する人から
セカンドライフを考えている人まで、
幅広く役立つ資格ですね!

「マンション管理士・管理業務主任者」って どんな試験？

まずは、マンション管理士試験の
受験データを見ていきましょう

以下は、2024年11月現在の情報に基づいています。最新の試験の詳細については、公益財団法人マンション管理センターのホームページ (http://www.mankan.org) 等でご確認ください。

🏷 マンション管理士試験の受験申込者数・合格者数等

マンション管理士試験の過去3年間の受験申込者数・合格者数等は、次のとおりです。

	受験申込者数	合格者数	合格率	合格最低点
令和3年度	14,562人	1,238人	9.9%	38点
令和4年度	14,342人	1,402人	11.5%	40点
令和5年度	13,169人	1,125人	10.1%	36点

合格率は、8〜11％くらいです。しっかり勉強しないとなかなか合格は難しいようです。

令和5年度の合格ラインは「50問中36問」でした。民法等に難問が多く、令和4年度よりも合格に必要な点数が下がりました。

なお、令和5年度試験の「5問免除者」の合格ラインは、「31問正解」でした。

🏷 令和5年度マンション管理士試験・合格者の年齢階層別割合

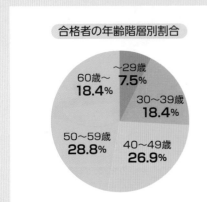

合格者の年齢階層別割合

合格者の年齢構成は、左のグラフのとおりです。40〜59歳が約半数を占めます。

合格者の平均年齢は47.9歳で、最高年齢は78歳でした。

※以上、(公財)マンション管理センター公表のデータによる

次に、管理業務主任者試験の
受験データを見ていきましょう

以下は、2024年11月現在の情報に基づいています。最新の試験の詳細については、一般社団法人マンション管理業協会のホームページ（http://www.kanrikyo. or.jp）等でご確認ください。

🏷 管理業務主任者試験の受験申込者数・合格者数

管理業務主任者試験の過去3年間の受験申込者数・合格者数等は、次のとおりです。

	受験申込者数	合格者数	合格率	合格最低点
令和3年度	19,592人	3,203人	19.4%	35点
令和4年度	19,589人	3,065人	18.9%	36点
令和5年度	17,855人	3,208人	21.9%	35点

合格率は、おおむね19〜22％くらいです。管理業務主任者試験は、マンション管理士試験よりも合格率が高い傾向にあります。

令和5年度試験の合格ラインは「50問中35問」でした。令和4年度よりも合格に必要な点数が下がりましたが、例年7割前後で推移しています。

なお、令和5年度試験の「5問免除者」の合格ラインは、「30問正解」でした。

🏷 令和5年度管理業務主任者試験・受験申込者の男女別割合

受験申込者の男女別割合

女性
22.6%

男性
77.4%

受験申込者の約8割が男性で、女性の受験者は約2割でした。

🏷 令和5年度管理業務主任者試験・合格者の平均年齢

合格者の平均年齢

44.1歳
（男性 45.8歳、女性 38.2歳）

管理業務主任者試験では、年齢別の合格者数は公開されていませんが、合格者の平均年齢は、マンション管理士試験の47.9歳と比べて少し低いくらいですね。

※以上、(一社)マンション管理業協会公表のデータによる

続けて、マンション管理士・管理業務主任者の
本試験スケジュールや出題内容を
見ていきましょう

🏷 マン管 管業 本試験スケジュール

試験概要の公表
（6月）

官報・各試験実施機関のホームページで試験概要が公表されます。

マン管 公益財団法人マンション管理センター
（http://www.mankan.org）

管業 一般社団法人マンション管理業協会
（http://www.kanrikyo.or.jp）

▼

受験案内・申込書の配布
（8月〜9月）

受験申込みの期限に間に合うように、早めに手に入れましょう。

▼

受験申込み
（9月）

受験手数料を専用の払込用紙等で納付し、受験申込書類を郵送で提出します。

受験手数料 { **マン管** 9,400円 **管業** 8,900円

▼

試験日
マン管 11月下旬
管業 12月上旬

試験時間　午後1時〜午後3時

（「5問免除者」は、午後1時10分〜午後3時）

▼

合格発表
（1月）

受験者全員に合否の通知が届きます。

試験実施機関のホームページでも、合格者の受験番号が掲載されます。

🏷 試験の概要と受験資格

試験方法	マークシート
問題数	50問
試験時間	120分 (「5問免除者」: 110分)

マンション管理士・管理業務主任者試験ともに、試験形式は「計50問・**4肢択一**」のマークシート方式です。

受験地

マン管

札幌市・仙台市・東京都・名古屋市・大阪市・広島市・福岡市・那覇市およびこれらの周辺地域

管業

札幌・仙台・東京・名古屋・大阪・広島・福岡・那覇およびこれら周辺地域

試験会場については、受験票に記載されます。

受験資格

な　し

マンション管理士試験・管理業務主任者試験ともに、年齢・学歴・実務経験等に関係なく、受験することができます。

「5問免除者 (試験一部免除者)」とは…

どちらか一方の試験に合格し、申請を行うと、もう片方の試験が**一部免除**されます。

免除の対象となる問題は、「マンション管理適正化法」に関する5問です。

そして、免除された結果、「5問正解」と同じ扱いとなります。

一例として、直近の令和5年度本試験（全50問）における出題分野と出題数は、次のとおりです。

分野	出題テーマ	マン管	管業
法令関係	区分所有法	10問	7問
	民法・借地借家法	6問	7問
	不動産登記法	1問	—
	建替え等円滑化法・被災マンション法	2問	—
	マンション標準管理規約	9問	7問
	マンション管理適正化法	5問	5問
	その他法律	—	5問
管理実務・会計関連	マンション標準管理委任契約書	—	4問
	管理組合の会計・税務等	2問	3問
建築・設備関連	建築関連法規、建築・設備・維持保全	15問	12問
			全50問

　マンション管理士試験・管理業務主任者試験の試験範囲は、ほとんど重なっています。そして、両試験ともに、「法令関係」からの出題が約7割です。

　「法令関係」の中でも、マンション管理士試験では、「区分所有法」「マンション標準管理規約」、管理業務主任者試験では「民法・借地借家法」「マンション標準管理規約」の出題数が多くなっています。合格するための得点源とできるように、しっかりと学習しましょう。

　また、「建築・設備・維持保全」の分野からもかなり多く出題されています。

　なお、この分野は、難問が出題されることもありますので、深入りせず、まずは基本知識を確実に押さえるようにしましょう。

①区分所有法

マンションは一棟の建物を区分して部屋ごとに分譲するという、戸建建物とは大きく異なる形態の建物です。一棟の建物内に赤の他人同士が居住することになるので、建物の管理や使用についてのルールとして**区分所有法**が定められています。

②民法

マンションの購入やそのためにお金を借りたり、あるいは婚姻や**相続**など、我々が生活していく上では、さまざまな権利や義務が生じます。これを規定している法律が**民法**です。

③標準管理規約

一口にマンションといっても、規模や用途等のさまざまな違いがあります。このような場合、区分所有法では、管理規約によりマンションのルールを作成できるとしていますが、ゼロから管理規約を作成するのは大変です。そこで、国土交通省は、各マンションで管理規約を作成しやすいように、管理規約のモデルケースとして**標準管理規約**を定めました。

④税会計	**管理組合の予算**が適正に執行されるためには、正しい経理の知識が必要です。また、管理組合も納税義務が発生することがあるので、正しく経理して申告をする必要があります。
⑤維持保全	マンションには、消火器や屋内消火栓といった**消防用設備**、受水槽、給水ポンプといった**給水設備**、排水管やトラップの**排水設備**等、さまざまな設備があります。これら設備の点検や維持保全の方法を知っておくことは、マンションを管理していく上で重要です。
⑥マンション管理適正化法	**マンション管理適正化法**は、マンションの資産価値を守り、快適な住環境が確保されるために定められた法律で、マンション管理士や管理業務主任者の業務や**マンション管理業者**の業務に関する規制等が定められています。

最初は
「こんな感じの内容が出るんだ」
くらいで大丈夫！ 一緒に丁寧に
学習していきましょう

入門講義編

★法改正情報は「サイバーブックストア」で!!★

　マンション管理士・管理業務主任者本試験は、例年4月1日現在施行されている法令等に基づいて出題されます。本書刊行後に施行が判明した法改正情報については、『法律改正点レジュメ』を2025年9月中旬より、TAC出版ウェブページ「サイバーブックストア」内で無料公開いたします（パスワードの入力が必要です）。

【『法律改正点レジュメ』ご確認方法】

・ TAC　出版 で検索し、TAC出版ウェブページ「サイバーブックストア」へアクセス！

・「各種サービス」より「書籍連動ダウンロードサービス」を選択し、「マンション管理士・管理業務主任者　法律改正点レジュメ」に進み、パスワードを入力してください。

　パスワード：251111550

　公開期限：2025年度管理業務主任者本試験終了まで

簡単アクセスはこちらから →

入門講義編

CHAPTER 1
区分所有法

Sec. 1 用語の定義

Sec. 2 専有部分と
　　　　共用部分

Sec. 3 敷地利用権

Sec. 4 管理者

Sec. 5 規　約

Sec. 6 集　会

Sec. 7 管理組合法人

Sec. 8 義務違反者に
　　　　対する措置

Sec. 9 復旧・建替え

Sec. 10 団　地

用語の定義

この Section で学ぶこと

マンションでは、一棟の建物の中でいろんな考え方を持つ多くの人が"共同生活"を営んでいます。そのため、権利関係や建物の管理の方法などについて、居住者間で日常的にトラブルや混乱が生じがちです。そうした事態を防ぐ法律が、**区分所有法**です。

1　建物の「区分所有」とは

1つの建物を分けて部分ごとに所有するための仕組みだよ!

　1戸建ての場合、建物全体で成立する所有権は、1つです。一方で、マンションでは、101号室はAさんのもの、102号室はBさんのものというように、「一棟の建物」を区分けして、部分（部屋）単位で別々の所有権を設定することができます。

　ただし、部分単位で別々に所有することが、何に対しても認められているわけではありません。バラバラに売却しても困らないものに限って、部分単位で別々に所有すること（「区分所有」）が認められています。

　区分所有するには、その部分が、**１構造上の独立性**と**２利用上の独立性**の2つの要件の両方を満たす必要があります。

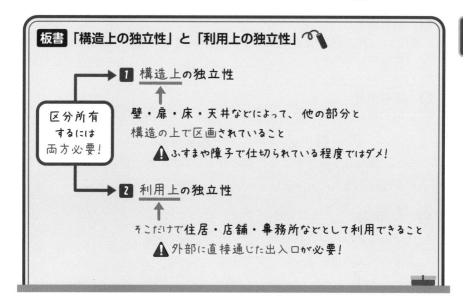

板書 「構造上の独立性」と「利用上の独立性」

区分所有するには両方必要！

1 構造上の独立性

壁・扉・床・天井などによって、他の部分と構造の上で区画されていること

⚠ ふすまや障子で仕切られている程度ではダメ！

2 利用上の独立性

そこだけで住居・店舗・事務所などとして利用できること

⚠ 外部に直接通じた出入口が必要！

ひとこと

1 2を満たしていても、必ずしも区分所有しなくて OK です。賃貸アパートなどのオーナーさんには、各室を区分所有しないで、**一棟全体を**単独所有して賃貸する人も多くいます。

2 用語の定義

しっかり理解すれば学習がスムーズにできるよ！

マンションに関しては、独特の**用語**がありますので、学習を進めるにあたって、それらをしっかり押さえておきましょう。

❶ 区分所有権

一棟の建物のうち、「**1 構造上の独立性・2 利用上の独立性**」の両方がある部分、例えばマンションの 101 号室を所有する権利のことです。

❷ 区分所有者

区分所有権を有する者、例えば、マンションの 101 号室を所有する A さんのことです。

❸ 占有者

　例えば、区分所有者 A さんから、A さん所有の 101 号室を借りている人（賃借人）のことです。

❹ 専有部分

　一棟の建物のうち、**区分所有者**が「専」ら所「有」する「部分」のことです。つまり、**1**構造上の独立性と**2**利用上の独立性の両方があり、かつ、区分所有する対象になる部分のことです。例えば、101 号室の A さんの室内は、専有部分です。

❺ 共用部分

　区分所有者たちが「共」同で使「用」する「部分」のことです。

　共用部分に該当するのは、次の３つです。

板書 共用部分に該当するものの例	
1 専有部分以外の建物の部分	廊下・階段室・エレベーター室
2 専有部分に属しない建物の附属物	エレベーター・電気配線（本線）・ガスや上下水道の配管（本管）
3 区分所有建物とは別棟の建物で、規約により共用部分とされた「附属の建物」	倉庫・車庫・集会所

ひとこと
　3の「附属の建物」とは、①マンションの**利用補助のための別棟**で、②規約（マンションの区分所有者たちが定める自主的なルール）によって、区分所有者たちが共同で利用すると定められたもののことです。

❻　管理組合

　区分所有者**全員**で**構成**する、マンションの管理を行うための**団体**のことです（区分所有法3条に規定されているので「**3条の団体**」ともいいます）。管理組合は、**複数の区分所有者**が生じた時点で**法律上当然に成立**し、各区分所有者は、**自動的にその構成員**（組合員）となります。

❼　区分所有建物

　区分所有建物とは、分譲マンションのように、建物の中で**複数に区分**され、住居・店舗・事務所等の用途として使用される各戸で構成されている建物のことをいいます。

❽　規約（管理規約）

　規約とは、集会の特別決議（区分所有者及び議決権の$\frac{3}{4}$以上の決議）で定める、**管理組合独自のルール**をいいます。区分所有建物は、それぞれ規模や用途等が異なりますので、管理等をしやすくするため、規約を定めることができます。

ひとこと

　規約をゼロから作成するのは大変です。そこで、国土交通省によって、管理組合が各マンションの実態に応じて、管理規約を制定・変更する際の参考として、「マンション標準管理規約」が用意されています。

専有部分と共用部分

重要度 マS 管S

区分所有が可能な　専有部分

廊下・階段は共用部分

　マンションは、全体としては一棟ですが、内部は**専有部分**と**共用部分**の2つに分かれます。**専有部分**はプライベートな空間で、**共用部分**はみんなが共同で利用するところです。2つの扱いは当然異なりますので、それぞれの区別や分類、誰がどのような権利を持つかなどについて確認しておきましょう。

1　専有部分と共用部分

建物のうち専有部分じゃないところは
すべて共用部分だよ！

1　専有部分と共用部分の区別

　区分所有建物中の各部分は、専有部分または共用部分かのどちらかに、**必ず属します**。したがって、**専有部分に該当しない建物**の部分は、すべて**共用部分**です。

　それでは、専有部分と共用部分の境目はどこになるのでしょうか。お隣り同士や上下階の住戸（専有部分）の壁・天井・床などが考えられますが、一般的には、「壁などの中央の**骨格**となる部分は**共用部分**ですが、上塗りの部分（壁の表面の塗装部分など）は**専有部分**」と考えられています。

2 共用部分の分類

共用部分は、**1** 法定共用部分と **2** 規約共用部分の2つに分けられます。

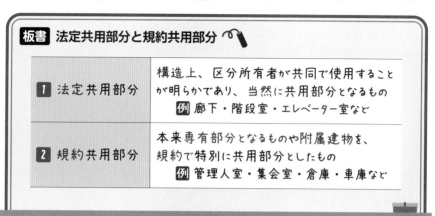

板書 法定共用部分と規約共用部分

1 法定共用部分	構造上、区分所有者が共同で使用することが明らかであり、当然に共用部分となるもの **例** 廊下・階段室・エレベーター室など
2 規約共用部分	本来専有部分となるものや附属建物を、規約で特別に共用部分としたもの **例** 管理人室・集会室・倉庫・車庫など

2 共用部分の権利関係等

共用部分は、原則 区分所有者みんなが共同で所有するよ!

1 共用部分に関する所有権

共用部分は居住者みんなで使いますので、誰かが独占するのは適当ではありません。例えば、「この階段は私だけのモノだから、他人は使用禁止!」となったら、困りますよね。

そこで、**共用部分**は、原則として、「**区分所有者全員で共有する**」とされています。共有とは「共同所有」、つまり、1つの物を複数の者で所有することです。

仮に、一棟に50人の区分所有者がいれば、廊下や階段室は、50人全員の共有になります。

2 共用部分の持分

1つのものを共有する場合、各共有者が**共有物に対して持つ権利の割合**を、「持分」といいます。

各区分所有者の持分は、原則、「**専有部分の床面積の割合**」と決められています。

🐧 **ひとこと**
区分所有法では、専有部分の床面積の算定について、**内法計算**（壁・柱等の**内側**で測る計算）という方法を採用していますが、規約で変更することもできます。

板書 共用部分に対する持分の割合 🏷️

$$\boxed{\text{持分の割合}} = \frac{\text{各区分所有者が有する専有部分の床面積}}{\text{マンション全体の専有部分の床面積の合計}}$$

例えば、マンション全体の専有部分の床面積の合計が 5,000㎡の場合であれば、70㎡の専有部分を持っている人の持分は$\frac{70}{5,000}$、80㎡であれば$\frac{80}{5,000}$となります。

🐧 **ひとこと**
共用部分の持分は、**規約の定めによって変えてもOK**です。例えば、床面積の差にかかわらず、規約によって持分を**画一的に定める**ことができます。

3 持分の処分

本来、共有物の各共有者は、**自由に自分の持分を売却する**ことができます。持分自体は、各共有者が単独で持つ権利だからです。

しかし、この原則を、そのままマンションの共用部分に適用することはできません。

例えば、区分所有者Aさんが、お金に困って、自分の共用部分の持分だけをBさんに売却しました。すると、Aさんは、専有部分を使う権利はありますが、共用部分の持分がないので、階段やエレベーターは使えません。それでは困るからです。

そこで、**共用部分に対する持分**は、**専有部分を持つための区分所有権**と、原則、**セット**になっていなければならず、分離して処分することはできません。

板書 専有部分と共用部分の分離処分の禁止 💣

① 共用部分の持分は、② 専有部分と一緒に処分しなければならない
↑
⚠ ①②をバラバラに分離して売却してはダメ!

---

4 共用部分の使用

共用部分について、各区分所有者は、**持分の割合に応じた権利**を持っていますが、その使い方まで、持分の割合に制限されるわけではありません。

例えば、エレベーターでいえば、区分所有者Aさんの持分が$\frac{1}{30}$の場合、Aさんがたとえ最上階に住んでいても、エレベーターを使用できるのは30日に1日だけになってしまうのは困るからです。

そのため、各区分所有者は、共用部分を、「持分に応じて」ではなく「**その用方(構造に沿った使用方法)に従って」**使用することができる、とされています。

5 費用の負担

　共用部分や敷地を管理する場合、各区分所有者はそれぞれ、そのための費用を負担しなければなりません。

　その負担の割合について、区分所有法は、次のように規定しています。

板書 費用の負担の割合 🖌

原 則	各区分所有者は、持分に応じて、共用部分の管理に要する費用を負担する
例 外	規約で別段の定めができる 例 持分の割合にかかわらず、同額とする

ひとこと

　共用部分から利益が生じたときも原則として、各区分所有者は、持分に応じて収取します。

---

3 共用部分の保存・管理・変更行為

共用部分の管理は集会決議で決定するのが原則だよ！

❶ 共用部分の管理の方法

　共用部分は、区分所有者全員の共有物ですから、その管理についても話し合って決めるべきです。そこで、区分所有法では、共用部分の管理の方法について定めています。

❷ 特別の影響を受ける区分所有者の保護

　右ページにある管理行為や変更行為を行う場合、特定の区分所有者の専有部分に悪影響が及ぶ可能性があります。そのため、管理行為や変更行為が、専有部分の使用に**特別の影響**を及ぼすときは、その専有部分の所有者の**承諾**を得なければなりません。

板書 共用部分の管理の方法 🖊️

管理の方法		具体例	要 件
保存行為		共用部分の清掃・小修繕	区分所有者が単独でできる
管理行為		共用部分の損害保険契約や管理委託契約	区分所有者および議決権の各過半数
変更行為	軽微変更	階段に手すりを取り付ける	
	重大変更	階段室をエレベーターに変更する	区分所有者および議決権の各 $\frac{3}{4}$ 以上

ひとこと

形状または効用の著しい変更を伴わないものは「軽微変更」、著しい変更を伴うものは「重大変更」になります。

4 一部共用部分 一部共用部分は一部の人たちだけで維持・管理するよ!

一部共用部分とは、**一部の区分所有者のみで共用する**ことが明らかな共用部分をいいます。例えば、1階が店舗で、2階以上が住宅部分という複合用途型マンション等では、店舗のみで使っている出入口やエスカレーターなどの共用部分が、一部共用部分に該当します。

一部共用部分は、原則として、それを共用する**一部の区分所有者のみ**で維持・管理を行います。

ひとこと

一部共用部分の管理が、区分所有者全員の利害に関する場合（例 外壁の色を変更する）や、規約で「区分所有者全員で管理する」と定めた場合は、区分所有者全員で、その一部共用部分の維持・管理を行います。

Section 3　敷地利用権

重要度　マA　管A

この Section で学ぶこと

敷地利用権って??

専有部分

敷 地

マンションの建物自体は、当然ながら、土地の上に建てられています。空中に浮いているわけではありませんから、区分所有建物（専有部分）を所有するには、建物の**敷地を利用する権利**もあわせて必要ですよね。その権利を、「敷地利用権」といいます。

1　法定敷地と規約敷地

共用部分と同じように
敷地の種類も2つあるよ!

　マンションの敷地には、「**法定敷地**」と「**規約敷地**」の2種類があります。

　法定敷地とは、法律によって当然にマンション（区分所有建物）の敷地となる土地をいいます。

ひとこと

　条文では「建物の所在する土地」と表現されます。つまり、**建物が立っている土地全体**のことです。

そして、**規約敷地**とは、建物は上に乗っていませんが、**規約によって**、区分所有建物や法定敷地と**一体的に**管理・使用できる土地を敷地にしたもので、例えば、庭・通路・駐車場などを指します。

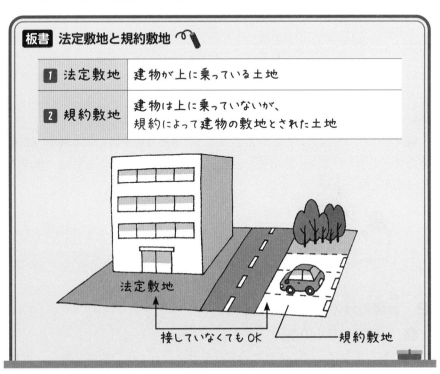

板書 法定敷地と規約敷地

1 法定敷地	建物が上に乗っている土地
2 規約敷地	建物は上に乗っていないが、規約によって建物の敷地とされた土地

法定敷地

接していなくても OK

規約敷地

ひとこと

規約敷地は、法定敷地と必ずしも**接していなくても OK** です。例えば、公道を挟んだ土地を駐車場として利用するために、規約敷地とする場合が考えられます。

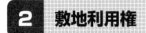

2 敷地利用権

> マンションの敷地として
> 土地を利用するための権利だよ!

1 敷地利用権とは

　専有部分を持つ区分所有者は、その敷地についても、何らかの利用権を持っている必要があります。なぜなら、法律の扱いでは、土地と建物はそれぞれ独立した不動産なので、土地の利用権を持たない建物所有者は、土地を不法占拠することになってしまうからです。そうならないように、区分所有者が持つ**土地を利用するための権利**のことを、**敷地利用権**といいます。

　敷地利用権の形態として最も多いのは、**区分所有者全員による敷地の所有権の共有**です。つまり、共用部分の場合と同様に、各区分所有者は、敷地に対して共有持分を持つのです。

> 敷地利用権には、敷地の所有権以外にも賃借権や地上権等があります。

2 分離処分の禁止

❶ 分離処分禁止の原則

　敷地利用権は、マンションの専有部分を所有するために必要な、土地（敷地）を利用するための権利です。「専有部分の区分所有者はＡさんだけど、敷地利用権の持分を持っているのはＢさん」では困りますので、専有部分と敷地利用権は**一体であるべき**です。

　そのため、**専有部分**と**敷地利用権を分けて処分**すること（分離処分）は、原則、禁止されています。例えば、どちらか一方だけの売却や、専有部分だけに抵当権を設定する、などはできません。

> 規約で分離処分を可能とすることもできます。

❷ 分離処分の禁止に違反した場合

　もし、❶の「分離処分禁止の原則」に違反して、分離処分する契約が

行われた場合、その契約はどうなるのでしょうか。例えば、区分所有者Aさんが、Bさんに敷地の権利だけを売却した場合です。

これは、区分所有法に違反する取引ですから、原則、AB間の売買契約は**無効**です。しかし、分離処分が禁止されていることをBさんが知らずに買い受けた場合にまで無効とされたら、Bさんには予想外の損害が生じてしまいます。

そこで、契約の相手方Bさんが**分離処分の禁止について善意**（分離処分が禁止されている事実を知らないこと）の場合は、Aさんは「**契約は無効だ」と言うことはできず**、Bさんは、有効に権利を取得することができます。

❸ 分離処分禁止の原則と敷地権の登記

分離処分が禁止されていることを明らかにするための**登記**をすることができます。それが、**敷地権の登記**という仕組みです。

そして、この**敷地権の登記**がされている場合は、❷のケースでいえば、相手方Bさんが善意であっても、Aさんは、「分離処分禁止に違反した契約は無効だ」と言えます。

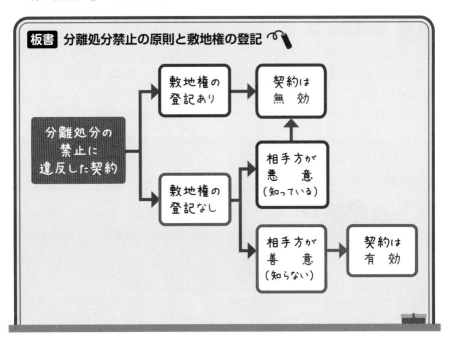

板書 分離処分禁止の原則と敷地権の登記

管理者

この Section で学ぶこと

今回の議案

　専有部分は、各区分所有者個人の
ものですので、自分で管理ができま
す。でも、共用部分や敷地はみんな
で共有していますので、1人1人が
勝手に管理するわけにはいきませ
ん。だからといって、なんでも全員
で共同して管理するのも厄介ですよ
ね。なにか良い方法はないでしょう
か？

1　管理者とは

管理をスムーズに行うために
任された人のことだよ！

　マンションの共用部分や敷地・附属施設の管理は、原則、区分所有者全員
が共同で行います。しかし、管理のすべてを全員共同で行うのは、とても大
変です。特に人数が多いマンションでは、現実的に無理でしょう。

　そこで、共用部分をスムーズに管理するために、**管理の権限を特定の者に
与えて任せる方法**が、区分所有法によって認められています。その**管理を任
された者**を、管理者といいます。

ひとこと

　実際のマンションでは、管理者のことを「**理事長**」という場合が
多いです。

なお、管理者を選任することは、**任意**です。つまり、「管理者を選任しなければならない」という**法的**な**義務はありません**。

ひとこと

マンション管理の現場にいる「管理人さん（または管理員）」と管理者とはまったく別の存在です。管理人さんは、管理組合や管理会社に**雇用**されて、日常の管理作業に従事する人のことです。

2 管理者の選任・解任等

管理者は集会の場で選ぶのが原則だよ！

1 管理者の選任・解任

管理者の**選任**および**解任**は、原則として、区分所有者の集会の**普通決議**（区分所有者および議決権の**各過半数の賛成**によって成立する決議）によって行います。なお、規約で変更することもできます。

2 管理者の資格

管理者には、誰でもなることができます。多くの場合は、区分所有者の中から適任者が選ばれますが、区分所有者以外の**外部の者を管理者**としても、かまいません。また、自然人（生きている人間のこと）に限らず、**マンション管理会社**などの**法人**を、管理者とすることもできます。

3 管理者の任期・人数

管理者の任期や人数にも、**制限はありません**。規約または集会の決議で任期を自由に決められますし、複数人の管理者を選任しても OK です。

3 管理者の職務・権限

管理者は、区分所有者のために仕事をするよ！

1 管理者の職務

管理者の主な職務は、次のとおりです。

板書 管理者の主な職務 🔦

1 共用部分等の<u>保存行為</u>
　　　　　　　　↑
　　　　例 階段の破損部分の小修繕など、現状を維持する行為

2 <u>集会の招集</u>
　　↑──少なくとも毎年1回、一定の時期に！

3 集会における事務の報告

4 規約や集会の議事録等の保管・<u>閲覧</u>
　　　　　　　　　　　　↑見せる相手は「利害関係人」

5 集会で決議されたことや規約で定められたことの実行

ひとこと

　「利害関係人」とは、区分所有者本人やその専有部分の賃借人などの**占有者**、管理組合と取引をする**業者**などです。

2　管理者の権限

　管理者は、次のような権限を持っています。

板書 管理者の権限 🔦

1 職務に関する代理権	**例** 区分所有者全員を代理して、エレベーターの修繕契約を業者との間で締結できる
2 共用部分等に関する損害保険契約に基づく保険金等の請求・受領	区分所有者全員を代理して、保険金を請求し、受領できる
3 訴訟追行権	規約または集会の決議で指名されて、裁判の当事者になれる

4 管理所有

1 管理所有とは

　共用部分を、規約によって、管理者が単独で所有する形にすることもできます。共用部分については、管理者に日常的な管理を任せていますので、区分所有者全員の共有名義になっているより、管理者の単独名義であるほうが便利だからです。この方法を、**管理所有**といいます。

　なお、**管理者以外**の者に管理所有させる場合は、必ず**区分所有者の中から指定**しなければならず、この指定を受けた人のことを**管理所有者**といいます。

　　　「管理者」は、一般的に理事長が該当します。
　　　管理者であれば、区分所有者でなくても管理所有が可能です。

2 管理所有者の権限

　管理所有者は、**管理に必要な範囲**で、共用部分を「単独の所有物」として、**重大変更以外**の管理のために契約をすることなどができます。ただし、管理所有は、管理の便宜のために形式的に行われるため、共用部分に関する実質的な所有権は管理所有者に移転せず、区分所有者に帰属したままとなります。

このSectionで学ぶこと

ウチは…

ウチでは…

Aマンション規約ペット○

Bマンション規約ペット×

　マンションの管理組合をスムーズに運営し、共同生活を円満に送るためには、やってはいけないことや運営の方法などについて、しっかりしたルールが必要です。でも、法律の規定だけでは、各マンションの**実情**に沿った**きめ細やかな対応**ができません。それを補うものが**規約**です。

1　規約の設定等

マンションの "憲法" みたいなものだよ!

1　規約とは

　規約とは、区分所有者みんなで定めた、管理組合独自のルールをいい、次の事柄を定めることができます。

板書　規約に定めることができる事項

1 区分所有法で**個別的**に認められている事項

　↑

条文に「規約で定める」「規約で別段の定めをすることができる」と書かれている!

2 建物・敷地・附属施設の管理・使用に関する区分所有者相互間の事項

　↑　例「ペット飼育は禁止!」

　⚠ 区分所有者「**以外**」の者との間の事柄は✗!

ひとこと

　規約の設定は、任意です。「規約を定めなければならない」という法的な義務はありません。

2　規約の設定・変更・廃止

❶　規約の設定等の方法

　規約の設定や変更、または廃止をする場合は、区分所有者および議決権の**各$\frac{3}{4}$以上の多数**による集会の決議で行わなければなりません。規約は、区分所有者全員を拘束する重要なルールですので、慎重に決定する必要があるからです。

ひとこと

　このように、**普通決議**（過半数の賛成）だけでは足りず、より多くの賛成がないと成立しない決議を「**特別決議**」といいます。

❷　特別の影響を受ける区分所有者の保護

　❶のように、規約の設定・変更・廃止は、多数決によって決定しますが、場合によっては**少数者の利益が害されるおそれ**が生じます。

　そのため、規約の設定等が、一部の区分所有者に**特別の影響を及ぼす**ときは、その人の承諾を得る必要があります。たとえ集会の決議が成立しても、特別の影響を受ける人の承諾がなければ、規約の設定等は効力を持ちません。

ひとこと

　例えば、**管理費の負担割合**について、「専有部分の床面積の大小を問わず、区分所有者間で同一とする」という規約の設定は、専有部分ごとの床面積が大きく異なる場合において自分の専有部分が小さい区分所有者には「**特別の影響を及ぼす**」と考えられます。

3 規約の効力

　規約は、区分所有者に対して効力が及ぶのはもちろんですが、区分所有者の**特定承継人**（専有部分の買主等）に対しても、その効力を及ぼします。また、**占有者**（専有部分の賃借人等）も、建物・敷地・附属施設の**使用方法**につき、区分所有者が規約に基づいて負う義務と**同一の義務**を負わなければなりません。

4 公正証書による規約の設定

　最初に建物の専有部分の**全部を所有する者**（分譲会社等）は、**公正証書**により、次の事項について、規約を設定することができます。

板書 公正証書による規約の設定

1 規約共用部分　　**2** 規約敷地

3 専有部分と敷地利用権の分離処分

4 区分所有者が複数の専有部分を有する場合の各専有部分の
　　敷地利用権の割合

ひとこと

　これらは、分譲会社等が事前に定めておく方が、後で集会決議等で定めるよりも便利だからです。

2 規約の保管・閲覧

1 規約の保管者

規約を保管する義務があるのは、次の者です。

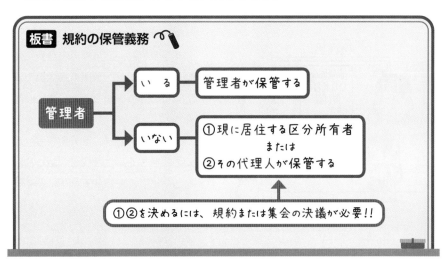

板書 規約の保管義務

管理者 → いる → 管理者が保管する

管理者 → いない → ①現に居住する区分所有者
または
②その代理人が保管する

①②を決めるには、規約または集会の決議が必要!!

2 規約を閲覧（えつらん）に供（きょう）する義務・保管場所の掲示義務

　規約を決まった者に保管させるのは、見たい人が閲覧を請求しやすくするためです。そして、規約の保管者は、正当な理由がある場合を除いて、**利害関係人からの閲覧の請求**を拒むことができません。

ひとこと

正当な理由には、閲覧できる日時や場所の指定があります。

　また、規約を**保管する場所**については、例えば、マンション内の掲示板など、**建物内の見やすい場所に掲示**しなければなりません。

Section 6 集会

この Section で学ぶこと

掲示板

通常総会
〇月×日
開催
・議案┄┄┄

　マンションの共用部分等の管理に関する事柄は、区分所有者**全員に関係**しますので、区分所有者**全員で決定する**のがベターです。しかし、全員一致で行うのは困難です。そこで、管理組合では、区分所有者全員に通知をして**集会**を開き、話し合いをした上で、多数決で管理に関する事柄を決定します。

1 集会の招集

まずは、区分所有者全員に集会が開かれることを知らせよう！

1 集会の招 集 権者

　管理組合の**集会**を招集する者は、**管理者が置かれているかどうか**で、次のようになります。

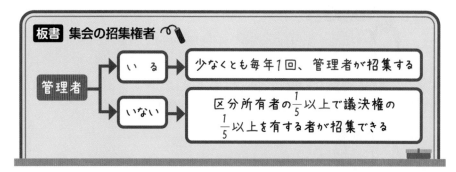

板書 集会の招集権者

管理者 → いる → 少なくとも毎年1回、管理者が招集する

管理者 → いない → 区分所有者の $\frac{1}{5}$ 以上で議決権の $\frac{1}{5}$ 以上を有する者が招集できる

2 集会の招集の通知

❶ 集会の通知

　集会を招集するための**通知**は、原則として、開催日より**1週間以上前**に、各区分所有者に宛てて発送しなければなりません。

ひとこと

　「**1週間**」という発送期限は、建替え等を除いて、**規約**で、伸ばすことも短縮することもできます。例えば、「2週間前」でも、「5日前」でもOKです。

❷ 通知すべき事項

　集会の招集通知には、集会の日時・場所を記載するほか、**会議の目的たる事項**（集会の**議題**）も記載しなければなりません。

❸ 議案の要領の通知が必要な事項

　招集通知には、次のような**重要な事項**が議題となる場合は、十分な検討のために、議題に加えて、**議案の要領**（**具体的な内容**）を通知する必要があります。

板書 議案の要領の通知を要する事項

1 共用部分の重大変更 ➡ Sec.2

2 規約の設定・変更・廃止 ➡ Sec.5

3 建物の大規模滅失の場合の復旧 ➡ Sec.9

4 建替え ➡ Sec.9

5 団地内の区分所有建物について、団地規約を定めることにかかる各棟ごとの承認 ➡ Sec.10

6 団地内の2以上の特定の区分所有建物について、一括建替え承認決議に付す旨の決議 ➡ Sec.10

ひとこと

　議題と議案の違いですが、例えば、規約の変更のために集会を招集する場合であれば、「規約を変更すること」が**議題**であり、「規約第〇条を『…』と改正する」といった原案が**議案**です。

❹ 招集手続の省略

集会の開催にあたって、招集のための事前の通知は、区分所有者**全員の同意がある場合は省略する**ことができます。招集の通知は、区分所有者に出席の機会を確保し、準備の余裕を与えるためのプロセスですので、そもそも全員が同意していれば問題ないからです。

2 集会の決議

最後は多数決だけど、それまでのプロセスも大事だよね！

1 決議要件

管理組合の集会で、ある事柄を決めることを**決議**といい、**決議が成立する**には、**区分所有者**（頭数）および**議決権の両方の定数**を満たす必要があります。

議決権は原則として共用部分の持分割合によるとされていますが、規約で変更をすることもできます。

ひとこと

規約で「1住戸1議決権」とすることもできます。

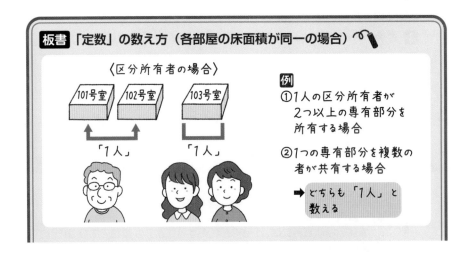

板書 「定数」の数え方（各部屋の床面積が同一の場合）

〈区分所有者の場合〉

101号室　102号室　　103号室

「1人」　　　　「1人」

例
①1人の区分所有者が
　2つ以上の専有部分を
　所有する場合

②1つの専有部分を複数の
　者が共有する場合

→ どちらも「1人」と
　数える

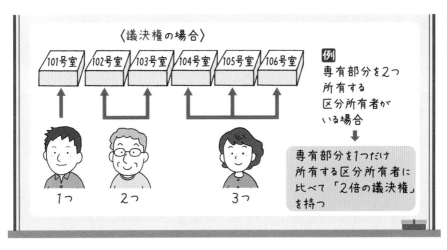

2 決議方法の種類

集会の決議を行う方法には、その重要性に応じて、次の3種類があります。

板書 決議の種類 🖋	
1 普通決議	区分所有者および議決権の各過半数による決議 ⚠ 規約で要件を変更することができる
2 特別決議	区分所有者および議決権の各 $\frac{3}{4}$ 以上による決議
3 建替え決議	区分所有者および議決権の各 $\frac{4}{5}$ 以上による決議

3 議決権の行使方法

例えば、忙しすぎて集会に出席できない区分所有者であれば、自分の意思を決議に反映させる方法を、次の３つから選択できます。

板書 議決権の行使方法	
1 代理人による行使	**例** 区分所有者の配偶者に、集会に代理出席してもらう方法
2 書面による行使	欠席する区分所有者が、その集会の開催日までに、各議案についての賛否を記載した書面（議決権行使書）を提出する方法
3 電磁的方法による行使	**例** 電子メールによる方法　⚠ 規約または集会の決議で定めることが必要

4 議長等

❶ 議　長

集会では、原則として、**管理者**が議長となります。ただし、区分所有者が集会を招集した場合には、**招集した区分所有者のうちの１人**が議長となります。

❷ 議事録

議長は、**議事の経過の要領とその結果**を記載した集会の議事録を、一定の期間内に作成し、作成した議事録には、**議長**および出席した区分所有者２名（**計３名**）が署名しなければなりません。

また、議事録は、**管理者**が、規約と同様に**保管**し、利害関係人に**閲覧**させ、その**保管場所を掲示**する義務を負います。

5 占有者の意見陳述権

議決権を持っているのは区分所有者だけですので、賃借人などの**専有部分の占有者は、議決権を行使できません**。しかし、占有者は、建物や敷地・附属施設の使用方法については、区分所有者と同様に規約や集会の決議に従わなければなりませんので（つまり、集会の**決議の効力**は、**占有者にも及びます**）、集会の決議については「利害関係がある」といえます。

そのため、例えば、集会で「ペットの飼育禁止」が決議されるケースで、専有部分の賃借人がペットを飼育している場合のように、**占有者**が、集会の議題について利害関係を有する場合は、**集会に出席**して、**意見を述べる権利**が認められています。

3　書面または電磁的方法による決議
集会を開かずに決議する方法もあるよ！

1　集会の省略

決議は、居住者みんなで議論をするプロセスを大事にするため、原則、**集会を開催**して行います。しかし、例えば、賃貸化が進んで区分所有者が各地に散らばっているマンションでは、一堂に会することはなかなか困難です。

そこで、区分所有者**全員の承諾**がある場合は、**集会を開かずに**、**書面**または**電磁的方法**によって**決議**することも認められています。

2　全員の書面・電磁的方法による合意

議案について、区分所有者全員で書面または電磁的方法によって合意した場合、その合意は、**集会の決議と同一の効力**を持つことになります。

ひとこと

これが認められるのは、議題の内容に区分所有者**全員が合意**（全員一致）している場合だけです。

Section 7 管理組合法人

重要度 マS 管S

このSectionで学ぶこと

管理組合は、マンションの住民たちで構成される団体です。しかし、それだけでは、法律的には何の権限も持ちません。そこで、団体そのものが「人」と同じように権利や義務を持つことができるように、管理組合を「法人」として扱うことができる「管理組合法人」という制度があります。

1 管理組合の「法人化」とは

管理組合を法人にすると
トクすることがある!

管理組合の「法人化」とは、管理組合そのものが、「人」と同じように権利を取得したり、義務を負うことができるようにすることです。また、管理組合法人の事務は、原則、すべて集会の決議によって行います。

管理組合を法人にすると、次のようなメリットがあります。

板書 管理組合の法人化のメリット

1 法律関係の明確化	管理組合法人が主体となって契約できる
2 取引の安全の確保	「法人の登記」が義務であり、取引の相手方がどんな団体か確認できる
3 団体の財産と個人財産の区別	管理組合法人の名義で預金できて「誰の資産か」がわかる

2　法人化の要件と手続

法人になるには
「特別決議」と登記が必要だよ！

管理組合は、次の**要件**と**手続**によって、法人になることができます。

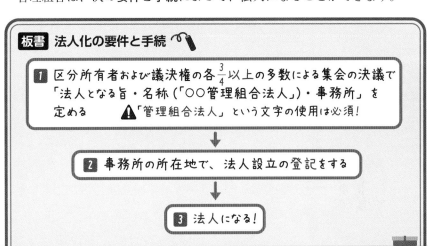

板書 法人化の要件と手続

1 区分所有者および議決権の各 $\frac{3}{4}$ 以上の多数による集会の決議で「法人となる旨・名称（「○○管理組合法人」）・事務所」を定める ⚠「管理組合法人」という文字の使用は必須！

2 事務所の所在地で、法人設立の登記をする

3 法人になる！

3　管理組合法人の権限

管理組合法人が
区分所有者全員の代理人になるよ！

管理組合法人には、次のような権限があります。

板書 管理組合法人の権限

1 事務に関する代理権	例 区分所有者全員を代理して、エレベーターの修繕契約を業者と締結できる
2 共用部分等に関する損害保険契約に基づく保険金等の請求・受領	区分所有者全員を代理して、保険金を請求し、受領できる
3 訴訟追行権	規約または集会の決議で指名されて、裁判の当事者になれる

ひとこと

法人化されていない**管理組合**の場合、**1 2**の代理権および**3**の訴訟追行権を持つのは「管理者」です（➡ Sec.4）。一方、**管理組合法人**の場合は、**1 2**の代理権および**3**の訴訟追行権を持つのは「管理組合法人」そのものであることに注意しましょう。

4 管理組合法人の役員

法人になる以上
きちんとした組織が必要だよ!

管理組合法人には、必ず**理事**と**監事**（かんじ）を置かなければなりません。

ひとこと

管理組合法人は抽象的な存在ですので、現実に事務を行う「**理事**」と、理事の事務執行の状況を監査する「**監事**」の存在が不可欠です。

1 理 事

理事は、**管理組合法人を代表**します。「**代表する**」とは、「**理事の行為＝法人の行為**」となることを意味します。

理事が数人いるときは、**各自**が管理組合法人を代表する権限を持ちますが、複数の理事がバラバラに行動すると矛盾や混乱が生じるおそれがありますので、**規約または集会の決議**によって、**代表理事**を定めたり、**共同代表**とすることもできます。

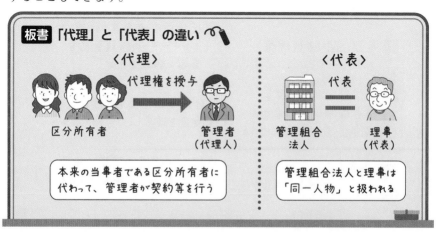

板書「代理」と「代表」の違い

〈代理〉

代理権を授与

区分所有者 ➡ 管理者（代理人）

本来の当事者である区分所有者に代わって、管理者が契約等を行う

〈代表〉

代表

管理組合法人 ＝ 理事（代表）

管理組合法人と理事は「同一人物」と扱われる

2 監 事

❶ 監事の職務

監事の職務は、次のとおりです。

板書 監事の職務

1 管理組合法人の<u>財産の状況の監査</u>

2 <u>理事の業務執行の状況の監査</u>

3 不正を発見した場合は、必要があれば、集会を招集して報告しなければならない（招集義務）

ひとこと

監事は、理事または管理組合法人の使用人とは兼任できません。自分で自分を監査したのでは、適正な監査ができないからです。

❷ 監事の代表権

例えば、理事個人が、管理組合法人と自分の土地の売買契約を締結するような、管理組合法人と理事との**利益が相反**する（管理組合法人を犠牲にして理事が私利を図るおそれがある）場合は、**監事**（または別の理事）が、管理組合法人を**代表**することができます。

3　理事と監事の選任・任期・解任

管理組合法人の理事と監事の選任等の要件は、次のとおりです。

板書 理事・監事で共通している「選任等」の要件

設　置	必ず置かなければならない
選任・解任	原則として、集会の普通決議で行う ⚠規約で別段の定めがあれば、それに従う
任　期	原則として2年 ⚠規約で「3年以内」で異なる任期を定めること（たとえば任期を1年とすること）もできる
資　格	① 区分所有者以外の者を理事・監事として選任できる ② 法人は就任できない（自然人のみ）
欠　員	任期満了・辞任で退任した理事・監事は、新たに理事・監事が就任するまで職務を行う（職務続行義務） ⚠解任の場合は職務を続行しない

5　管理組合法人の義務

財産や区分所有者を分かるようにしているよ！

1　財産目録の作成

管理組合法人は、設立の時および毎年1月～3月の間に**財産目録**を作成し、常にこれを、その主たる事務所（通常はマンションの事務室等）に備え置かなければなりません。

ひとこと

事業年度を設ける場合は、設立の時および毎事業年度の終了の時に、財産目録を作成しなければなりません。

2 区分所有者名簿の備え置き

管理組合法人は、**区分所有者名簿**を備え置き、区分所有者の変更があるごとに、必要な変更を加えなければなりません。

6 区分所有者の責任

区分所有者にも
責任が及ぶことがあるよ!

例えば、マンションに修繕等が必要となった際に、管理組合法人が修繕等のために借入をする等、管理組合法人名義で債務を負うことがあります。

この場合で、万一管理組合法人の財産だけでは、その債務を完済することができないときは、各区分所有者は、共用部分の持分割合と同一の割合で、その債務を支払う責任を負います。

> **ひとこと**
> 管理組合法人名義での債務であっても、実態としてはマンションの管理のための債務ですから、区分所有者が負担しなければならないのです。

7 管理組合法人の解散

解散事由は
3つ!

管理組合法人も団体である以上、解散することがあります。管理組合法人の解散事由は、次の3つです。

板書 管理組合法人の解散事由

1 建物の全部の滅失

2 建物に専有部分がなくなった場合

⚠ 区分所有者の1人が専有部分の全部を取得し、登記簿上、建物を一棟の建物（賃貸マンションや社宅等）にした場合が該当する

3 集会の決議（特別決議）が行われた場合

Section 8

義務違反者に対する措置

重要度　マ S　管 A

この Section で学ぶこと

　マンションでは、例えば、危険なモノを持ち込んだり騒音を立てたりすると、周りの人に迷惑がかかります。居住者には、そのような**共同の利益に反する行為**をしてはならない義務がありますが、区分所有法は、この義務に違反した人が現れた場合に備えて、**対抗手段**を用意しています。

---

1 義務違反者に対する措置の種類

レベルの違いで
4つ用意されているよ！

　マンションの**区分所有者**や賃借人等である**占有者**は、例えば、規約で禁止されているペットを飼うなど「共同の利益に反する行為」をしてはなりません。そのようなルールを破る人を、**義務違反者**といいます。

　管理組合が、義務違反者に対して講じることができる措置は、**１行為の停止等の請求**、**２専有部分の使用禁止の請求**、**３区分所有権の競売請求**、**４使用する専有部分の引渡し請求**の４つです。

　そして、相手方が**区分所有者**か**占有者**かによって、次のように請求する流れが変わります。

ひとこと

　実際に、まず軽い請求をした後でなければ、重い請求ができないわけではありません。仮に、**１行為の停止等の請求**をしても解決できないと判断される場合（**例** 暴力団事務所として使用される）は、いきなり**２３４**の手段による、より重い請求をすることもできます。

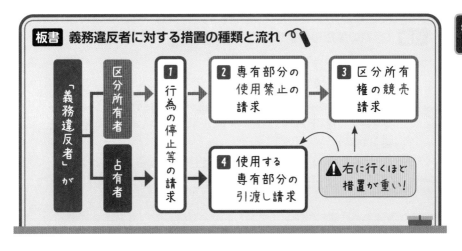

2 区分所有者に対する措置 　全部で3つの措置があるよ！

1 行為の停止等の請求（ **1** ）

　区分所有者が、マンションの保存や管理・使用に関して共同の利益に反する行為（**迷惑行為**）をした場合、他の区分所有者の全員または管理組合法人は、次のような請求をすることができます。

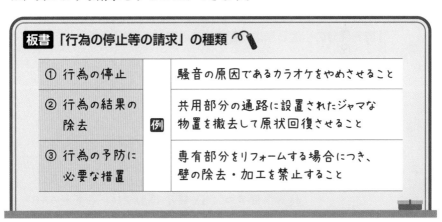

　この請求は、管理者等が**厳重注意**（勧告）によって行うこともできます。しかし、より確実にやめさせたい場合は、**集会の普通決議**を経た上で、**裁判所に訴えること**（訴訟）によって**請求**することもできます。

板書 「行為の停止等の請求」のポイント 🔖

① 訴訟以外で請求することが可能
   例 理事長が勧告をする等
② 訴えを提起する場合は集会の決議が必要だが、集会の決議
   要件は、区分所有者および議決権の各過半数（＝普通決
   議）でよい
③ ②の決議をする際に、義務違反者に対して弁明の機会の付
   与は不要

2　専有部分の使用禁止の請求（②）

　義務違反者に対して、「やめてほしい」と請求する（前記1）だけでは解決が難しそうな場合は、より強力な手段として、**専有部分の使用**自体を、一定期間を定めて**禁止**することができます。迷惑な区分所有者を、専有部分からしばらく追い出してしまうのです。

　この使用禁止請求をするには、次のように、より慎重な手続が必要です。

板書 「専有部分の使用禁止（②）」「区分所有権の競売請求（③）」
　　　「専有部分の引渡し請求（④）」で必要な手続 🔖

① 必ず裁判所に訴えを提起して請求すること
② 区分所有者および議決権の各 $\frac{3}{4}$ 以上の多数による集会の決議
   （特別決議）によること
③ ②の決議をするには、あらかじめ義務違反者に対して
   <u>弁明の機会を与えること</u>

　　　　↑
　　　　└──義務違反者に対する影響が大きいから、
　　　　　　言い訳のチャンスを与えることが必要！
　　　　　⚠ 専有部分の引渡し請求（④）では、占有者のみに
　　　　　　弁明の機会付与が必要

3　区分所有権の競売請求（ 3 ）

専有部分の使用禁止の請求（前記 **2**）は、**1** よりは強力な手段とはいえ、一時的に義務違反者を追い出すだけですので、禁止期間が終わったら、また同じことを繰り返すかもしれません。

その場合は、義務違反者を確定的に排除するために、その区分所有権を競売にかけることが認められています。

この**区分所有権の競売の請求**は、非常に強力な手段ですので、上記 **2** と同一の、慎重な手続が必要となります。

3　占有者に対する措置　　とれる措置は2つだよ！

1　行為の停止等の請求（ 1 ）

専有部分の賃借人等の**占有者**が、マンションの保存や使用に関して迷惑行為をした場合、**区分所有者の全員**または**管理組合法人**は、その行為をやめるよう請求することができます。

また、前記「**2**区分所有者に対する措置」中の **1** の場合と同様に、この行為の停止等の請求は、**厳重注意**によって行うこともできますし、**集会の普通決議**を経た上で、訴訟によって請求することもできます。

2　占有者が使用する専有部分の引渡し請求（ 4 ）

占有者に対して「やめてほしい」と請求をしたにもかかわらず、迷惑行為が繰り返される場合は、賃貸借契約等を解除することにより、住んでいる専有部分の引渡しを請求してマンションから追い出すことができます。

この**引渡し請求**は、非常に強力な手段ですので、区分所有者に対する「**2** 2 専有部分の使用禁止の請求」と同一の、慎重な手続が必要となります。

ひとこと

弁明の機会は、マンションから追い出される**占有者**だけに与えればよく、専有部分を賃貸している**区分所有者**には不要です。

Section 9 復旧・建替え

重要度　マB　管B

この Section で学ぶこと

建物の老朽化や地震・火事でマンションが壊れてしまったら、被害の程度に応じて**復旧工事**や**建替え**が必要になります。しかし、それには**多額の費用**がかかりますので、積極的な人と尻込みする人に分かれます。その間で、利益調整をはからなくてはなりません。

1 滅失からの復旧

> マンションの壊れた部分を工事して
> 元に戻すことだよ！

1 「小規模滅失」と「大規模滅失」

災害等によってマンションの一部が**滅失**（損壊）したら、生活するためには当然、その部分を復旧しなければなりません。

滅失が**専有部分**で起きた場合は、小規模なもの（**小規模滅失**）でも、大規模なもの（**大規模滅失**）でも、所有者である区分所有者自身が復旧を行って、その費用を負担します。

その一方で、滅失が**共用部分**で起きた場合の復旧のルールには、小規模滅失と大規模滅失とで違いがあります。

小規模滅失とは、建物の価格の$\frac{1}{2}$以下の滅失をいい、**大規模滅失**とは$\frac{1}{2}$を超える滅失をいいます。

2 小規模滅失の場合の共用部分の復旧

❶ 各区分所有者による単独復旧

共用部分が小規模滅失した場合、各区分所有者は**単独**で復旧することができます。例えば、階段が壊れたら、それを利用する居住者にとっては、一刻も早く復旧する必要があるからです。

❷ 集会の決議による復旧

壊れた共用部分の復旧は、**集会の普通決議**（区分所有者および議決権の各過半数の賛成）によって行うこともできます。共用部分の修繕は、もともと**管理行為**だからです。

したがって、❶の「**各区分所有者による単独の復旧**」ができるのは、❷の「**集会の決議**」が行われていない場合に限られます。

3 大規模滅失の場合の共用部分の復旧

❶ 集会の決議による復旧

共用部分が大規模滅失した場合の復旧は、区分所有者および議決権の各$\frac{3}{4}$以上の多数による集会の決議（**特別決議**）によって行う必要があります。

各区分所有者が単独で復旧することはできません。大規模滅失の場合は、復旧に多額の費用がかかるので、慎重に判断すべきだからです。

❷ 復旧に賛成しなかった区分所有者の買取請求権

集会の特別決議によって復旧が決定した場合、工事にかかる多額の費用は、反対者も含め区分所有者が**全員で負担**することになります。しかし、費用を払えない区分所有者や、納得できない復旧に参加したくない区分所有者もいます。

そこで、復旧に賛成する者と賛成しなかった者に分かれた場合、復旧決議に賛成しなかった**区分所有者**（反対者や欠席者等）は、**賛成した区分所有者**に対して、建物および敷地利用権を「**時価で買い取ってほしい**」と請求することができます。

　要するに、不賛成者には、自分の専有部分を、これからもマンションに住み続ける人に売却して、区分所有関係から抜ける方法が用意されているのです。

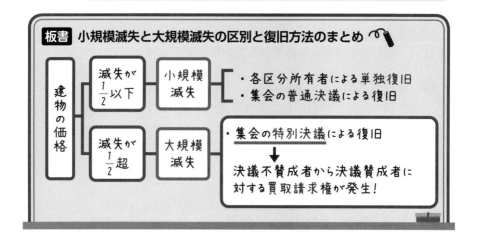

板書　小規模滅失と大規模滅失の区別と復旧方法のまとめ

建物の価格
├ 滅失が 1/2 以下 → 小規模滅失
│　・各区分所有者による単独復旧
│　・集会の普通決議による復旧
└ 滅失が 1/2 超 → 大規模滅失
　　・集会の特別決議による復旧
　　↓
　　決議不賛成者から決議賛成者に対する買取請求権が発生！

❸　買取指定者

　大規模滅失からの復旧決議に賛成しなかった者は、賛成者に対して**買取請求**をすることができますが、金銭面等の事情によって、買取請求に応じられない区分所有者もいます。そこで、復旧決議が行われた日から**2週間以内**に、賛成者全員で、**買取指定者**を選任することができます。

　なお、買取指定者が選任された場合に、買取請求ができる相手方は、買取指定者のみとなります。

　したがって、決議賛成者以外の区分所有者が買取請求できるのは、大規模滅失の復旧決議から2週間経過後になります。

❹ 催告

　復旧工事が相当進んだ後になってから買取請求がされると、復旧工事の妨げになります。そこで、**4ヵ月以上の期間**を定めて、買取請求をするか否かについて書面または電磁的方法で**催告**をすることができます。そして、この期間を経過すると、買取請求をすることはできなくなります。

2　建替え

マンションを取り壊して
新しいものを建てることだよ!

1　建替え決議

　建替えとは、今ある傷んだマンションを取り壊して、新しい建物を再建することです。そして、建替えをするために必要な集会の決議は、「取り壊す」という重大性から、他の場合より相当厳しい要件である、「区分所有者および議決権の各 $\frac{4}{5}$ 以上の多数」で行わなければなりません。

2　建替え決議を行う集会の招集通知

　原則である「1週間前まで」という通知期間とは異なり、建替え決議を行う集会の招集通知は、開催日の**少なくとも2ヵ月前**までに発しなければなりません。そして、この「2ヵ月」という期間は、区分所有者に十分な考慮期間を与えるため、規約で「**伸長する**」ことはできますが、「短縮する」ことはできません。

3　説明会の開催

　建替え決議のための集会を招集した者は、集会の開催日の少なくとも**1ヵ月前**に、建替えに関する**説明会**を開催しなければなりません。

　また、その開催には、通常の集会の招集と同様に、開催日の**1週間前**までに、各区分所有者に対して通知を発することが必要であり、この「1週間」は、規約で「伸長する」ことはできても、「短縮する」ことはできません。

　いずれも十分に検討する必要がある、重大なことだからです。

4　建替え参加の催告

　建替え集会を招集した者は、遅滞なく、建替え決議に**反対**した、もしくは**決議に不参加**だった区分所有者に対して、あらためて建替えに参加するかどうかを2ヵ月以内に回答するように、**書面または電磁的方法で催促**しなければなりません。建替えに参加する最後のチャンスを与えるためです。

5　売渡し請求権

　建替え参加の催告から2ヵ月が経過すれば、参加者と不参加者が確定します。この時点で、建替え参加者は、不参加者に対して、**区分所有権および敷地利用権を時価で売り渡す**ように請求することができます。

> **ひとこと**
>
> 　要するに、参加者が、不参加者が持っている区分所有権を強制的に買い上げることで、最終的に「全員が建替えに参加」という状態になって、マンションを取り壊してスムーズに再建できるようにしているのです。

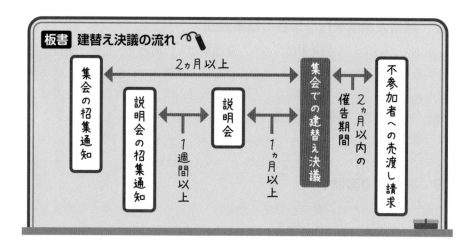

板書　建替え決議の流れ

集会の招集通知 ← 2ヵ月以上 → 説明会の招集通知 ← 1週間以上 → 説明会 ← 1ヵ月以上 → 集会での建替え決議 ← 2ヵ月以内の催告期間 → 不参加者への売渡し請求

6 「買取請求権」と「売渡請求権」の違いのまとめ

　大規模滅失からの復旧の場合は、買取請求権が認められ、建替えの場合は、売渡請求権が認められています。両者には、次のような違いがあります。

板書 「買取請求権」と「売渡請求権」🖊

	買取請求権	売渡請求権
適用場面	大規模滅失からの復旧決議	建替え決議
権利行使者	大規模滅失の復旧決議に賛成しなかった者（反対者・欠席者・棄権者等）	建替え参加者（賛成者・反対者等だが参加する旨の回答をした者・買受指定者）
権利対象者	大規模滅失の復旧決議に賛成した者の一部または全部（買取指定者がいる場合はその者のみ）	建替え不参加者

Section
10　団　地

この Section で学ぶこと

1つの敷地内に数棟の建物があって、さらに、みんなで共有する敷地や集会室等の附属施設が存在する場合を**団地**といいます。団地全体で共有する敷地等は、団地管理組合で管理します。

1　団地とは

棟ごとの管理組合と団地全体の管理組合は
同時に存在するよ！

1　団地の成立要件

「団地」とは、もともとは「住宅の集合体」を指します。そして、区分所有法上の団地は、次のどちらの要件も満たすものをいいます。

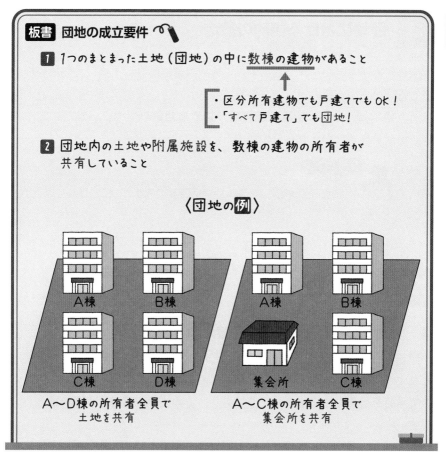

板書 団地の成立要件 🔦

1 1つのまとまった土地（団地）の中に数棟の建物があること

↑

・区分所有建物でも戸建てでもOK！
・「すべて戸建て」でも団地！

2 団地内の土地や附属施設を、数棟の建物の所有者が共有していること

〈団地の例〉

A棟　B棟
C棟　D棟
A～D棟の所有者全員で土地を共有

A棟　B棟
集会所　C棟
A～C棟の所有者全員で集会所を共有

2 団地管理組合と棟ごとの管理組合の併存

　土地や附属施設を共有している**団地内の建物の所有者**のことを、「団地建物所有者」といいます。

　団地建物所有者は、**全員**で、団地内で共有する**土地**や**附属施設**、**区分所有建物**を管理するための**団地管理組合**を構成し、**集会**を開いて**規約**を定め、**管理者**を置くことができます。

　そして、団地内の建物が**区分所有建物**の場合は、その1棟ごとの管理組合（棟ごとの**管理組合**）も同時に成立します。つまり、団地内に区分所有建物がある場合は、団地管理組合と各棟ごとの管理組合の**両方**が併存します。

2　団地における規約の設定

団地内の区分所有建物も団地全体で管理できるよ！

　団地建物所有者が全員で共有する**土地や附属施設**は、当然に、**団地管理組合で管理**します。その一方で、全員で共有されていない土地や附属施設、区分所有建物は、原則、団地管理組合の管理の**対象外**ですが、**規約に定めれ**ば、団地管理組合がそれらを管理することができます。

ひとこと

　個別に管理するよりは、団地管理組合でまとめて管理したほうが効率がよいからです。

3　団地における建替え

団地内の建物を建て替えるための手続だよ！

1　団地内の棟ごとの建物の建替え承認決議

　団地内のある建物の建替えをすることは、共有物である**敷地の変更**に該当しますので、その敷地を共有している他の建物所有者から、**敷地の変更について承認**を得るための決議が必要であり、この決議を**建替え承認決議**といいます。

　例えば、ＡＢＣの３棟の区分所有建物がある団地で、敷地を団地全体で共有しているときは、「Ａ棟だけ建て替えたい」という場合、Ａ棟の建替えは、共有敷地に重大な影響（変更）を及ぼしますので、団地全体の問題となります。

　そこでＡ棟の建替えには、次の２つの要件が必要です。

板書 団地内の棟ごとの建物の建替え承認決議 🔔

1 建て替える区分所有建物の棟ごとの管理組合で、
建替え決議が成立していること

2 団地管理組合の集会で、議決権の $\frac{3}{4}$ 以上の多数による
承認を得ること

　　　　　　↑
「区分所有者の数」の要件は不要！

2 団地内の区分所有建物の一括建替え決議

　団地内の区分所有建物は、各棟単位だけでなく、全棟まとめて一斉に建て
替えることもできます。

　ただし、一括建替え決議をするには、次の3つの要件をすべて満たすこと
が必要です。

板書 「一括建替え決議」が認められる要件 🔔

1 団地内の建物の全部が区分所有建物であること
　　　　↑ ⚠「戸建ての建物」がある場合はダメ！

＋

2 敷地が団地内建物の区分所有者の共有に属していること
　　　↑ ⚠附属施設の共有だけではダメ！

＋

3 団地管理規約で、団地内の区分所有建物が団地管理組合の
管理対象になっていること

3 建替え承認決議と一括建替え決議の差違のまとめ

「建替え承認決議」と「一括建替え決議」には、次のような違いがあります。

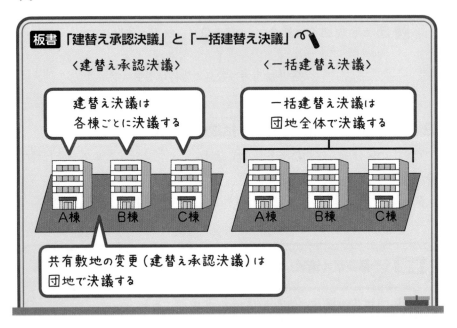

CHAPTER1 **区分所有法** 過去問チェック！

問1 Sec.2 **1**

専有部分以外の建物の部分は、共用部分である。　　　　　　　　　　　（🔽R4）

問2 Sec.3 **2**

敷地利用権が数人で有する所有権その他の権利である場合には、規約に別段の定めがない限り、区分所有者は、その有する専有部分とその専有部分に係る敷地利用権とを分離して処分することができない。　　　　　　　　　　　　　　　　　　（🔽R3）

問3 Sec.4 **3**

共用部分につき損害保険契約をした場合における、同契約に基づく保険金額の請求及び受領は、管理者の職務（区分所有者を代理するものも含む。）に当たる。　　（🔽R4）

問4 Sec.5 **2**

管理者がない場合の規約の保管は、建物を使用している区分所有者またはその代理人のうちから、規約または集会の決議で定められたものが行う。　　　　　　（🔽H29）

問5 Sec.6 **1**

管理者がないときに、区分所有者の5分の1以上で議決権の5分の1以上を有するものが、集会の招集をしたことは適切である。　　　　　　　　　　　　　　（🔽R元）

問6 Sec.7 **5**

管理組合法人は、区分所有者名簿を備え置き、区分所有者の変更があるごとに必要な変更を加えなければならない。　　　　　　　　　　　　　　　　　　　　（🔽R3）

問7 Sec.7 **4**

監事の任期を3年間とすることを規約で定めることができる。　　　　　（🏢R3）

区分所有者及び議決権の過半数による集会の決議があれば、義務違反行為を行う区分所有者に対し、他の区分所有者の全員が訴えをもって当該義務違反行為の停止を請求することができる。 (🔽R4)

甲マンションの滅失がその建物の価格の2分の1以下に相当する部分の滅失である場合において、区分所有者Bが自己の専有部分の復旧の工事に着手するまでに復旧の決議があったときは、Bは、単独で専有部分の復旧をすることはできない。 (🔽R2)

一筆の敷地上に、甲棟、乙棟及び丙棟があり、いずれの棟も専有部分のある建物であり、また、敷地は区分所有者全員で共有している場合に、甲棟の建替えを実施するためには、団地管理組合の集会において議決権の4分の3以上の多数による建替え承認決議を得なければならない。 (🔽R2)

解答

問1 ○

問2 ○

問3 ○

問4 ○

問5 ○

問6 ○

問7 ○

問8 ○

問9 ✕ 専有部分は集会において復旧決議がされた場合でも、区分所有者が単独で復旧できる。

問10 ○

入門講義編

CHAPTER 2

マンション標準管理規約

Sec. 1 単棟型の標準管理規約 ①

Sec. 2 単棟型の標準管理規約 ②

Sec. 3 単棟型の標準管理規約 ③

Sec. 4 単棟型の標準管理規約 ④

Sec. 5 団地型の標準管理規約

Sec. 6 複合用途型の標準管理規約

Section 1 単棟型の標準管理規約 ①

重要度 マA 管A

区分所有者間の "守るべき共通のルール" である規約は、みんなで決めることができます。しかし、管理組合が自力で規約を定めようとしても、法律的に不適切だったり不十分な内容になるおそれがあります。そこで参考にしてもらうために用意されているのが、**マンション標準管理規約**です。

1 標準管理規約とは

規約をつくるときに参考にするための "モデル" だよ！

　CHAPTER 1 で学習した区分所有法は、法律として、全国の分譲マンションに**一律に適用されるルール**です。しかし、マンションは、その建物の規模や立地条件、居住者の性質などがバラバラですので、すべてを一律に扱うことは困難です。そのため、区分所有法では、マンションごとの「規約」に関する規定を置くことで、区分所有法上の**「原則」とは異なる内容を定める**ことを認めています。それが、**「規約に別段の定めがある場合」**というフレーズに表れています。

　しかし、管理組合が、自分たち自身で独自の規約を定めようとしても、必ずしも適切に作成できるとは限らず、法律的にも内容的にも不備があるおそれが十分考えられます。そこで、規約を作る際の「参考」として用意された望ましい**標準モデル**が、マンション標準管理規約です（以下「**標準管理規約**」と略します）。

1 標準管理規約の位置づけ

標準管理規約は、あくまで**参考**として活用されるべきものです。そのため、規約を作成する際に従わなければならないという義務はありませんし、それぞれのマンションの規模・居住形態など個別の事情を考慮して、**必要に応じて合理的に修正・活用**することが望ましいとされています。

2 標準管理規約の種類

標準管理規約には、次の3パターンがあります。

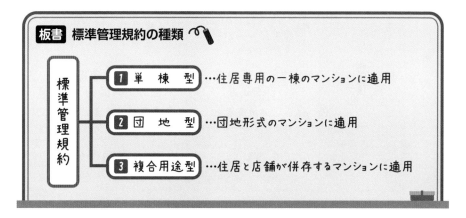

板書 標準管理規約の種類

標準管理規約
1 単棟型 …住居専用の一棟のマンションに適用
2 団地型 …団地形式のマンションに適用
3 複合用途型 …住居と店舗が併存するマンションに適用

1　専有部分と共用部分の区別

標準管理規約は、専有部分と共用部分を、次のように分けています。

板書 標準管理規約による専有部分と共用部分の区別

対象部分	専有部分	共用部分
天井・床・壁	躯体を除く部分 ⚠「上塗り部分だけが専有部分」という考え方による	躯体部分（建築物の構造の主要な部分）
玄関扉	錠・内部塗装部分のみ ⚠各区分所有者が自由に変更できる	錠・内部塗装以外の部分 ⚠各区分所有者が独断では変更できない
窓枠・窓ガラス（網戸・雨戸）	なし	すべて共用部分

ひとこと

　玄関扉の錠と内部塗装部分以外の部分や、窓枠・窓ガラスが共用部分とされるのは、各区分所有者の自由な変更を認めると、マンション全体の統一的な美観が損なわれるおそれがあるからです。

2　共用部分の範囲

標準管理規約では、次のようなものが共用部分に分類されています。

板書 「共用部分」で特に重要なもの

1　バルコニー・ベランダ・屋上テラス・メーターボックス
　　⚠メーターボックス内の給湯器ボイラー等の設備は「専有部分」

2　火災警報設備・配線（本線）・配管（本管）

3　管理事務室・管理用倉庫・集会室

3 敷地・共用部分等の共有持分

持分割合の決め方が
区分所有法と異なっているよ！

区分所有者が**共有**する敷地や共用部分等の持分は、次のようになります。

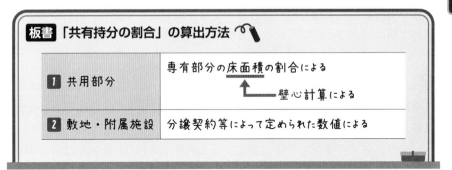

板書 「共有持分の割合」の算出方法

1 共用部分	専有部分の**床面積**の割合による ← 壁心計算による
2 敷地・附属施設	分譲契約等によって定められた数値による

区分所有法では、原則として、**内法計算**（壁や柱等の内側で測る計算）という方法で専有部分の床面積を算出しますが、**規約で別段の定めをすること**も認められています。そのため、標準管理規約では、「**壁心計算（壁や柱等の中心線で測る計算）**という方法を**採用する**」と、区分所有法とは異なる定めをしています。

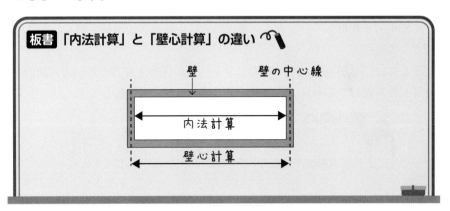

板書 「内法計算」と「壁心計算」の違い

壁　　壁の中心線

内法計算

壁心計算

1 専有部分の用途

　区分所有者は、原則、その専有部分を**専ら住宅として**使用し、店舗や事務所等の他の用途で使用してはなりません。

2 バルコニー等の専用使用権

　専用使用権とは、共用部分等の一部や敷地を、**特定の区分所有者が独占的に使用できる権利**のことです。

　バルコニー・玄関扉・窓枠・窓ガラスは共用部分ですが、通常は区分所有者が単独で使用する部分として、**専用使用権**が設定されます。

　また、1階に面する庭（いわゆる「**専用庭**」）にも、同様の趣旨で**専用使用権**が設定されています。

3 駐車場の使用等

　管理組合と駐車場使用契約を締結した区分所有者は、駐車場を使用できます。駐車場を使用している者は、管理組合に、**駐車場使用料**を納入しなければなりません。

　そして、区分所有者がその専有部分を、他の区分所有者や第三者に譲渡・貸与した場合は、その区分所有者の駐車場使用契約は**失効**します。

> つまり、専有部分の譲受人・賃借人は、譲渡人や賃貸人が持っていた駐車場使用権を、そのまま引き継ぐことはできません。

4 専有部分の修繕等

　区分所有者は、共用部分や他の専有部分に影響を与えるような修繕や模様替えなどを自己の専有部分について行う際は、あらかじめ、管理組合の**理事長**にその旨を申請し、**書面または電磁的方法による承認**を受けなければなりません。

この場合の手続は、次のような流れになります。

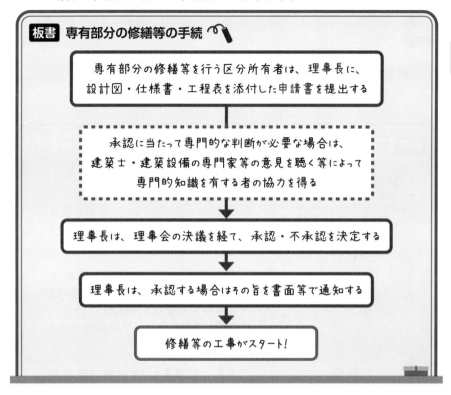

板書 専有部分の修繕等の手続

専有部分の修繕等を行う区分所有者は、理事長に、設計図・仕様書・工程表を添付した申請書を提出する

承認に当たって専門的な判断が必要な場合は、建築士・建築設備の専門家等の意見を聴く等によって専門的知識を有する者の協力を得る

理事長は、理事会の決議を経て、承認・不承認を決定する

理事長は、承認する場合はその旨を書面等で通知する

修繕等の工事がスタート!

5 専有部分の貸与

　区分所有者は、自己の専有部分を**第三者に貸与**する場合には、貸与契約に、規約・使用細則に定める事項を遵守する旨を定め、その事項を遵守させなければなりません。

　また、契約の**相手方**には、規約・使用細則に定める事項を遵守する旨の**誓約書**および専有部分を借用した旨の届出を、**管理組合に提出させる必要**があります。

ひとこと

　　規約の内容が細かすぎると、分量が増えて読みづらいなど**実用性に欠けるおそれ**があります。そのため、規約の定めは基本的な事項にとどめ、別途、具体的できめ細やかな内容を規定するのが"生活上のルール"である「使用細則」です。

5 管理

1 敷地・共用部分等の管理

マンションの管理は、次のように行われます。

板書 敷地・共用部分等の管理

対象部分	原 則	例 外
敷地・共用部分等	管理組合が管理する	バルコニー等についての、通常の使用に伴う管理は、専用使用権を有する者（区分所有者）が行う
専有部分	各区分所有者が管理する	専有部分の設備のうち、共用部分と構造上一体となった部分の管理を共用部分の管理と一体として行う必要がある場合は、管理組合が行うことができる
窓枠・窓ガラス・玄関扉	通常の使用に伴うものは、専用使用権者が行う	災害や犯罪等による補修は管理組合が行う 窓枠等の改良工事で、防犯・防音・断熱等の住宅性能の向上等に資するものは、管理組合が計画修繕として実施する

2 敷地および共用部分等の保存行為

❶ 区分所有者の保存行為

区分所有法では、「区分所有者は単独で保存行為をすることが可能」とされていましたが、標準管理規約で可能とされているのは、**次の場合のみ**とされています。

板書 区分所有者による保存行為が可能な場合 🏷

1 あらかじめ理事長に申請して書面または電磁的方法による承認を受けた場合

2 専用使用部分の通常の使用に伴う場合

⚠ 同居人や賃借人による窓ガラスの破損も「通常使用」に該当します

3 専有部分の使用に支障が生じていて、緊急を要する場合

例 台風で窓ガラスが割れて、雨水が吹き込んでいる場合

❷ 理事長の保存行為

　災害等の緊急時では、総会や理事会を開催することが困難な場合があります。そこで、災害等の緊急時においては、理事長は、**総会**または**理事会の決議**によらずに（つまり理事長のみで）、敷地や共用部分等について、必要な**保存行為**を行うことができます。

3　立入り請求

　例えば、消防設備の点検のように、マンションを管理する上では、専有部分等へ立ち入る必要が生じることもあります。そこで、理事長等の管理を行う者は、管理を行うために必要な範囲内において、他の者が管理する**専有部分**または**専用使用部分への立入り**を**請求**することができます。

　また、**災害・事故等**が発生した場合で、**緊急**に立ち入らないと共用部分等または他の専有部分に物理的・機能上、重大な影響を与えるおそれがある場合、理事長は、請求せずに専有部分または専用使用部分に自ら**立ち入り**、または委任した者に**立ち入らせる**ことができます。

4　費用の負担

　区分所有者は、敷地や共用部分等の管理に必要な経費に充てるため、**管理費**と**修繕積立金**（管理費等）を管理組合に納入しなければなりません。なお、**管理費等の額**については、**使用頻度等は勘案せずに**、各区分所有者の共用部分の共有持分に応じて算出します。

5 管理費等の区分経理

管理費と修繕積立金は、それぞれ使途(使い方)が異なるため、次のように、区分して経理しなければなりません。

板書 管理費等の区分経理

1 管理費…通常の管理に要する経費に充当される
↑
日常的に支出が必要になる費用や毎年実施する修繕費用
例 管理人の人件費・廊下の照明の電気代・
エレベーターの保守点検の費用

2 修繕積立金…特別の管理に要する経費に充当する場合に限って
取り崩すことができる
↑
日常的な維持管理の範囲を超える大修繕に要する費用
例 一定年数の経過ごとに計画的に行う修繕や、不測
の事故などの特別の事由で必要となる修繕の費用

❶　管理費等の充当先

> **板書 管理費等の充当先**
>
> **1** 管理員人件費　　**2** 公租公課
> **3** 共用設備の保守維持費・運転費
> **4** 備品費、通信費その他の事務費
> **5** 共用部分等に係る火災保険料・地震保険料その他の損害保険料
> **6** 経常的な補修費　　**7** 清掃費・消毒費・ごみ処理費
> **8** 委託業務費　　**9** 専門的知識を有する者の活用に要する費用
> **10** 管理組合の運営に要する費用
> **11** その他管理組合の業務（ Sec.2 **2** ）に要する費用

❷　修繕積立金の充当先

> **板書 修繕積立金の充当先**
>
> **1** 一定年数の経過ごとに計画的に行う修繕
> **2** 不測の事故等により必要となる修繕
> **3** 敷地および共用部分等の変更
> **4** 建物の建替えおよびマンション敷地売却に係る合意形成に必要となる事項の調査
> **5** その他区分所有者全体の利益のために特別に必要となる管理

6　駐車場使用料等

　組合員に駐車場を賃貸するなどして、駐車場使用料等が管理組合に支払われることがあります。この駐車場使用料は、**駐車場等の管理に要する費用**に充てるほか、**修繕積立金**として積み立てます。

Section 2

単棟型の標準管理規約 ②

重要度 マS 管S

CHAPTER 2　マンション標準管理規約

このSectionで学ぶこと

書記　理事長　副理事長　会計　監事

マンションの管理は、**管理組合が主体**となって行いますので、その活動は、区分所有者全員にとって非常に重要です。そのため、標準管理規約では、管理組合が行う**業務の範囲**や、実際に運営していく**役員**について明確に定めて、管理組合という組織の構成を整えています。

1 管理組合の構成員

区分所有者全員が組合員だよ！

　管理組合の組合員は、区分所有者となった時には**当然に**管理組合の構成員となり、区分所有者でなくなった時には脱退します。

　そして、組合員であるかどうかは重要ですので、組合員の資格を取得・喪失した居住者は、**直ちに**その旨を、**書面**または**電磁的方法**で管理組合に届け出なければなりません。

ひとこと

　区分所有者である限りは、専有部分に居住していなくても組合員ですし、逆にいえば、専有部分に居住していても区分所有者でなければ、組合員ではありません。

2 管理組合の業務

マンションの管理全般が
管理組合の業務だよ!

管理組合の業務として標準管理規約に定めがあるのは、次の各事項です。

板書 管理組合の業務

1 敷地や共用部分等(組合が管理すべき部分)の保全・清掃・ごみ処理等

2 組合管理部分の修繕

3 長期修繕計画の作成・変更業務、長期修繕計画書の管理

4 建替え等に係る合意形成に必要となる事項の調査に関する業務

5 宅建業者から交付された設計図書の管理

6 修繕等の履歴情報の整理・管理等

7 共用部分等に係る火災保険・地震保険等に関する業務

8 区分所有者が管理する専用使用部分について管理組合が行うことが妥当である管理行為

9 敷地・共用部分等の変更と運営

10 修繕積立金の運用

11 官公署・町内会等との渉外業務

12 マンションや周辺の風紀・秩序・安全の維持、防災、居住環境の維持・向上に関する業務

13 広報・連絡業務

14 管理組合の消滅時における残余財産の清算

15 その他、建物・敷地・附属施設の管理に関する業務

ひとこと

ひとつひとつ確実に覚える必要はなく、全体を眺めて、管理組合の仕事はいろいろあることをイメージできればOKです。

管理組合には、次の**役員**を、**必ず**置かなければなりません。

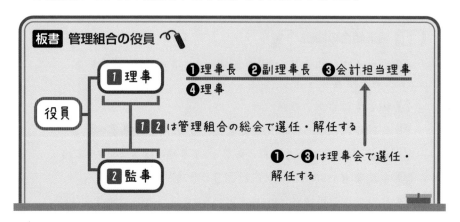

板書 **管理組合の役員**

1 理事 ── ❶理事長　❷副理事長　❸会計担当理事　❹理事

役員

1 **2** は管理組合の総会で選任・解任する

❶〜❸は理事会で選任・解任する

2 監事

ひとこと

　監事は、理事長のように、総会で選任された役員の中から理事会で選任されるのではなく、最初から**総会で選任**されます。理事の職務を「**監査する立場**」として、独立した存在だからです。

1　理事（**1**）

❶　理事長

　理事長は、区分所有法上の「**管理者**」とされ、管理組合を**代表**して業務を統括し、職務を行います。また、**理事会の承認**を受けた上で職員を採用・解雇したり、他の理事に**職務の一部を委任**することもできます。

❷　副理事長

　副理事長は、理事長を補佐し、理事長に事故が起きた場合は、その職務を代理し、理事長が死亡等で欠けた場合は、その職務を代行します。

❸　会計担当理事

　会計担当理事は、管理費等の収納・保管や運用等の会計業務を行います。

❹　理事

　理事は、理事会が定めた管理組合の業務を担当します。

2　監事（2）

監事の主な職務は、次のとおりです。

板書 監事の職務 ✍

1. 管理組合による業務の執行や財産の状況を監査し、その結果を総会に報告すること

2. 理事や管理組合の職員に対していつでも業務の報告を求め、業務・財産の状況を調査すること

3. 管理組合の業務の執行・財産の状況について不正があると認めるときは、臨時総会を招集すること

4. 理事会に出席し、必要がある場合は意見を述べること

5. 理事が不正の行為をした、または、するおそれがある場合、法令・規約・使用細則・総会や理事会の決議に違反する事実や、著しく不当な事実があると認める場合は、遅滞なく、その旨を理事会に報告すること

4　利益相反取引の防止

役員が私利私欲に走ることを防止する制度だよ！

❶　利益相反取引の防止

役員が、自己・第三者のために管理組合と取引する場合や、管理組合が、その役員以外の者との間で、管理組合と役員との**利益が相反する取引**をする場合は、**理事会において、取引について重要な事実を開示して、その承認**を受けなければなりません。

❷　理事長の代表権の制限

理事長は、管理組合と自己の利益が相反する事柄については、代表権を持たず、**監事または理事長以外の理事**が、理事長の代わりに管理組合を代表します。

Section 3

単棟型の標準管理規約 ③

重要度 マ S 管 S

このSectionで学ぶこと

マンションの管理について、区分所有者全員で話し合う場が、管理組合の総会です。しかし、区分所有者全員を招集することは、そう簡単ではありません。そこで、**日常的**な管理組合の運営などは、区分所有者から選ばれた管理組合の**役員**が集まって決めるのですが、その会合の場が**理事会**です。

---

1 総会の招集

総会を招集すべき時期が
決まっているよ！

1 総会の招集手続

「マンションをどのように管理するか」について、区分所有者全員で決めるために話し合う場が、管理組合の総会です。

総会には、**通常総会**と**臨時総会**の2種類があります。それぞれの、招集するための手続は、次のとおりです。

板書 通常総会と臨時総会

	招集の時期	招集権者	議長
1 通常総会	毎年1回 新会計年度開始後 2ヵ月以内	理事長	理事長
2 臨時総会	必要に応じて いつでも	理事長 ⚠理事会の決議を 経ることも必要!	

　総会を招集するための通知は、組合員に対して、開催日の少なくとも**2週間前**（建替え決議等の場合は**2ヵ月前**）までに、会議の日時・場所（WEB会議システム等で会議を開催するときは、その開催方法）・目的を示して発しなければなりません。

　ただし、緊急の場合（建替え決議等を除く）は、**理事長**は、**理事会の承認**を得て、最短、**5日間**を下回らない範囲まで、通知期間を短縮することができます。

2 出席資格

　総会には、組合員のほか、**理事会が必要**と認めたマンション管理業者・マンション管理士等が出席できます。

　また、専有部分の賃借人などの**占有者**は、会議の目的について**利害関係を有する場合**には、あらかじめ理事長にその旨を**通知**すれば、**総会に出席して意見を述べる**ことができます。

ひとこと

　例えば、専有部分でのペット飼育禁止が議題の場合、ペットを飼育中の賃借人は「会議の目的につき利害関係を有する」といえます。

2 総会の会議・議事

1 定足数

総会が成立するために最低限必要な人数のことを「定足数」といいます。

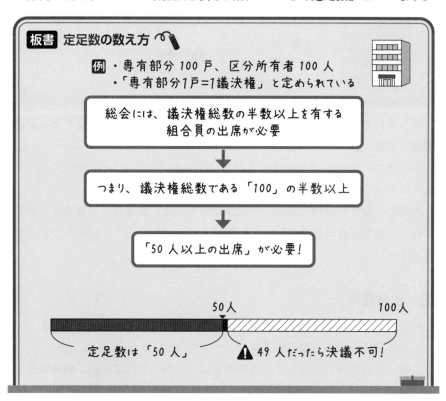

板書 定足数の数え方

例 ・専有部分 100 戸、区分所有者 100 人
・「専有部分 1 戸 = 1 議決権」と定められている

総会には、議決権総数の半数以上を有する
組合員の出席が必要

↓

つまり、議決権総数である「100」の半数以上

↓

「50 人以上の出席」が必要！

50 人　　　　　　　　　　　100 人

定足数は「50 人」　　⚠ 49 人だったら決議不可！

ひとこと

　区分所有法では、定足数の規定はなく、普通決議は「（全）区分所有者および（全）議決権」の**各過半数**により決しますが、**標準管理規約**の普通決議は、定足数（議決権総数の半数以上）を満たした上で、「出席組合員の議決権」の過半数で決します。

2 決議の方法と要件

総会における決議方法には、**普通決議**と**特別決議**があります。

普通決議は、出席組合員の議決権の過半数の賛成が必要です。

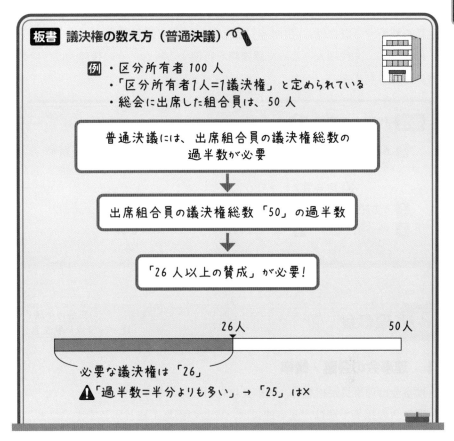

板書 議決権の数え方（普通決議）

例・区分所有者 100 人
・「区分所有者1人＝1議決権」と定められている
・総会に出席した組合員は、50 人

普通決議には、出席組合員の議決権総数の
過半数が必要

出席組合員の議決権総数「50」の過半数

「26 人以上の賛成」が必要！

26人　　　　　　　　　　　50人

必要な議決権は「26」
⚠「過半数＝半分よりも多い」→「25」は×

これに対して、**特別決議**は、議題の内容が重大であり慎重に決定すべきですので、標準管理規約においても、その決議要件は区分所有法と同様に、原則、組合員総数および議決権総数の各 $\frac{3}{4}$ **以上**となります。

3 議決権の行使方法

　組合員は、総会に出席できない場合は、①**書面**、または②**代理人**によっ
て、**議決権を行使**することができます（電磁的方法による行使を認めること
もできます）。なお、①②の方法によって議決権を行使した者も、総会の定
足数を判断する際には、「出席者」にカウントされます。

　組合員が、②**代理人**によって**議決権を行使**する場合、その代理人は、次の
者に限定されます。

板書 代理人の資格

1 その組合員の配偶者（内縁の者を含む）・一親等の親族（親か
子供）

⚠ 組合員と同居していなくても OK！

2 その組合員の住戸に同居している親族　⚠ 同居の場合のみ OK！

3 他の組合員　⚠ マンション内に居住していなくても OK！

3 理事会　総会の手続と
違っている点に要注意！

1 理事会の会議・議事

　理事会は理事長が招集し、理事長自らが議長となります。

　理事会の招集手続は、基本的には、総会の招集手続と同じです。つまり、
原則として、理事長は、会議（WEB会議等も含みます）の開催日の**2週間
前**までに、理事と監事に招集通知を発する必要があります。また、**理事の半
数以上が出席**しなければ開催できず、その議事は、**出席理事の過半数**で決し
ます。

2 議決権の行使方法

理事会において、**理事**は、書面や電磁的方法、代理人による議決権の行使について、原則、**認められていません**。ただし、やむを得ない理由で理事会に出席できない場合は、その**配偶者**または**一親等の親族**に限って代理出席を認める旨を、規約に定めることもできます。

ひとこと

規約に定めれば、上記の代理出席のほかに「書面による議決権の行使」等も、認められます。

3 理事会の決議事項

理事会で決議する主な事項は、次のとおりです。

板書 理事会の決議事項の例

1 収支決算案・事業報告案・収支予算案・事業計画案

2 規約・使用細則等の制定・変更・廃止に関する案

3 長期修繕計画の作成・変更に関する案

4 その他の総会提出議案

5 専有部分の修繕等の承認・不承認

6 区分所有者の所在等の探索

7 総会から付託された事項

ひとこと

これらの決議事項と関連づけて、理事会の役割をイメージしておきましょう。なお、1～4は、すべて「案」です。つまり、理事会で、まず**案**を決議した上で、**総会で最終的に決議**するのです。

Section 4 単棟型の標準管理規約 ④

この Section で学ぶこと

> 管理組合は、組合員が納めた管理費や修繕積立金等の限られた収入の中からマンションの維持修繕を行います。このように、限られた収入をスムーズに管理するためには、きちんと「予算」を立てる必要があります。また、管理費等の収入が予算どおりに使われたか「決算」をする必要もあります。

1 収支予算の作成・変更

> 予算どおり執行することが重要だよ!

　理事長は、まず、毎会計年度の**収支予算案**を**通常総会**に提出し、その承認を得なければなりません。また、いったん承認を受け、確定した収支予算を変更する場合は、**臨時総会**に変更案を提出して、その承認を得なければなりません。

2 収支予算承認前の支出

> 委託業務費等は毎月払わないとダメ!

　収支予算案は、通常総会で承認される必要がありますが、通常総会は「新会計年度開始後2ヵ月以内に開催する」とされていますので、その間には、水道光熱費や委託業務費等の支払がすでに発生する可能性があります。

　そこで、次のやむを得ない経費の支払いが必要となった場合には、通常総会を待たずに、**理事会の承認**を得て支払うことができます。

板書 理事会の承認を得て支払うことができる経費

経費の内容	具体例
1 通常の管理に要する経費のうち、経常的なもの	水道光熱費・委託業務費
2 総会の承認を得て実施している長期の施工期間が必要な工事にかかる経費	事業年度をまたいで実施する大規模修繕工事

3 管理費等の徴収

管理費等の滞納があった場合の対応策だよ！

　組合員は、管理費等について、組合員が各自開設する預金口座から口座振替の方法により支払います。

　なお、組合員が管理費を支払わない場合、管理組合は、その滞納管理費について、年利「○%」の**遅延損害金**と、**違約金**としての弁護士費用、督促・徴収の諸費用を、管理費を滞納している組合員に請求することができます。

4 管理費等の過不足

不足したら追加で支払ってもらわなきゃ！

管理費等に余剰や不足が生じた場合は、次のようになります。

板書 管理費等に余剰・不足が生じた場合

1 管理費に余剰を生じた場合	翌年度の管理費に充当（繰り越し）する
2 管理費等に不足を生じた場合	各組合員は、共用部分の共有持分に応じた負担割合でその都度、不足分を負担しなければならない

Section 5 団地型の標準管理規約

重要度 マА 管B

標準管理規約

単棟型

団地型

Sec.1で見たとおり、標準管理規約には①単棟型、②団地型、③複合用途型の3種類があります。②団地型の標準管理規約は、文字どおり、敷地内に複数の建物がある団地を対象にしています。「団地型」を学習する際は、単棟型の規約ではカバーしきれない団地全体に関する事項に注意しましょう。

1 「団地型」の規約の対象

「土地を全体で共有している」ことがポイント!

　団地型の標準管理規約は、住居専用の分譲のマンション数棟で構成される団地型のマンションで、団地内の「土地および集会所等の附属施設」を、その数棟の区分所有者（**団地建物所有者**）全員で共有しているものを対象としています。

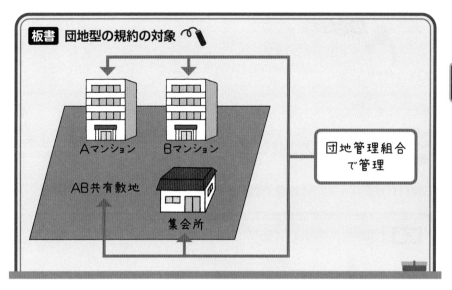

板書 団地型の規約の対象

Aマンション　Bマンション

AB共有敷地

集会所

団地管理組合
で管理

したがって、団地全体で共有しているのが「集会所等の附属施設のみ」で、土地は各棟の区分所有者のみで共有しているような場合は、その対象外となります。

ひとこと

土地を団地全体で共有していなければ、それぞれの区分所有建物とその敷地の管理は、すべて各棟単位で行うことになるからです。

2 共用部分とその管理

団地全体の共用部分と
各棟単位の共用部分があるよ!

団地型の標準管理規約は、①土地・団地共用部分・附属施設を、**団地建物所有者（全区分所有者）の共有**に、また、②各棟のエレベーター室・階段室などの棟共用部分を、**その棟の区分所有者の共有**のものとしています。

そして、団地建物所有者は、**全員で管理組合を構成し**、土地・団地共用部分・附属施設は当然のこと、棟共用部分の管理も行います。

ひとこと

各棟の管理も団地全体で一元的に行うため、管理組合も、団地全体のもののみが規定され、各棟ごとのものは規定されていません。

3 管理費等の負担と経理

管理費は1種類、修繕積立金は2種類あるよ！

管理費等には、次の3種類があります。

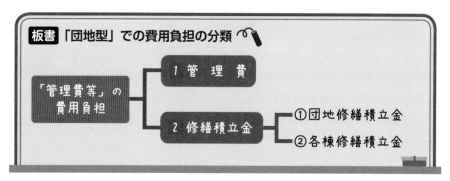

板書 「団地型」での費用負担の分類

```
「管理費等」の   ┌─ 1 管理費
費用負担    ─┤
           └─ 2 修繕積立金 ─┬─ ①団地修繕積立金
                            └─ ②各棟修繕積立金
```

1 管理費は、「団地全体に必要な経費」と「各棟に必要な経費」を合わせて徴収されます。

そして、**2 修繕積立金**は、①団地修繕積立金については各団地建物所有者の**土地**に対する共有持分に応じて、②各棟修繕積立金については**各棟の共用部分**に対する共有持分に応じて、それぞれ徴収されますが、①②はそれぞれ、**区分して経理**しなければなりません。

4 団地総会と棟総会

棟総会は必要なときだけ開催されるよ！

団地総会は、**団地建物所有者全員で構成**され、原則、各組合員の議決権は**土地**の共有持分の割合によります。これに対して、棟総会は、**各棟の区分所有者で構成**され、各組合員の議決権は、**棟の共用部分**に対する共有持分の割合によります。

そして、棟の共用部分の管理は、**団地管理組合**で行います。したがって、

義務違反者に対する措置や復旧・建替えなど、団地総会では決議することができず、棟総会で決議しなければならない事態が生じたような場合のみ、**棟総会**が開かれます。

ひとこと

義務違反者に対する措置は、一棟の建物内で一種の共同生活を送っていることを根拠として認められているため、各棟で決定すべきであり、また、**復旧・建替え**も、その棟の区分所有者たちだけで決定し、それらの者だけで費用を負担すべきだからです。

　また、棟ごとの管理者や役員も選任されませんので、棟総会を招集する場合は、棟の区分所有者総数の$\frac{1}{5}$**以上**で議決権総数の$\frac{1}{5}$**以上**に当たる区分所有者の**同意**を得て、その棟の区分所有者が行うことになります。

Section 6

複合用途型の標準管理規約

重要度 マB 管C

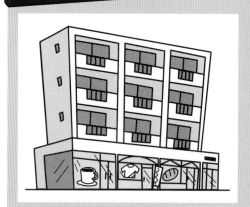

このSectionで学ぶこと

特に駅前などで多く見られるのが、低層階が店舗で上層階が住宅となっているマンションなど、店舗の用途と住宅の用途の専有部分が複合的に存在するマンションです。そのような居住形態にマッチする規約として制定されたのが、**複合用途型**の標準管理規約です。

---

1 「複合用途型」の規約の対象

店舗も入っているマンションが対象だよ！

　例えば、「1階・2階がコンビニやカフェなどの店舗で、それより上の階はすべて居住専用スペース」という、いわゆる"ゲタ履きマンション"等を、**複合用途型**のマンションといいます。つまり、**複合用途型標準管理規約**の対象となるのは、一般分譲の住居と店舗が**併用**されている**単棟型**マンションです。

2　共用部分の分類と共有方法　　3種類の共用部分があるよ！

複合用途型標準管理規約では、店舗の区分所有者で共有する店舗一部共用部分や、住宅の区分所有者で共有する住宅一部共用部分が存在します。そこで、**共用部分を共有**する方法を、次の3つに分けています。

板書 共用部分の共有方法	
1 全体共用部分	区分所有者全員で共有
2 住宅一部共用部分 例 住居専用エレベーター室 など	住居専用部分の区分所有者のみの共有
3 店舗一部共用部分 例 店舗用の共同トイレなど	店舗部分の区分所有者のみの共有

Sec.
6

複合用途型の標準管理規約

複合用途型標準管理規約は、管理組合が敷地と共用部分等の管理に支払う費用（管理費等）の**負担**について、次のように細分化しています。

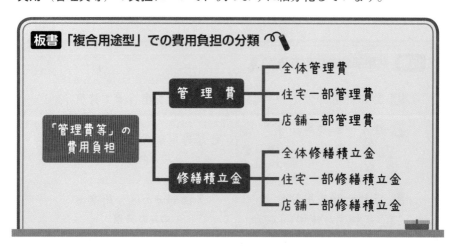

板書 「複合用途型」での費用負担の分類

```
                              ┌─ 全体管理費
                  ┌─ 管 理 費 ─┼─ 住宅一部管理費
「管理費等」の ──┤            └─ 店舗一部管理費
  費用負担       │            ┌─ 全体修繕積立金
                  └─ 修繕積立金 ┼─ 住宅一部修繕積立金
                              └─ 店舗一部修繕積立金
```

複合用途型マンションの**管理組合**には、住戸部分の区分所有者で構成する**住宅部会**と店舗部分の区分所有者で構成する**店舗部会**の２種類が置かれます。

しかし、これらの部会は、住宅部分・店舗部分の一部共用部分の管理等について、**協議をしてその意見を理事会に反映**させるためだけの機関にすぎず、管理組合として意思決定をする権限を持っていません（使用細則等を定めることもできません）。そのため、**一部共用部分の管理等**についての**最終的な意思決定**は、管理組合の総会決議で行います。

CHAPTER2 マンション標準管理規約 過去問チェック！

問1 Sec.1 **2**

天井、床及び壁は、躯体の中心線から内側が専有部分である。 （管 H30）

問2 Sec.1 **4**

専有部分の床のフローリング工事の申請があった場合、理事長が承認又は不承認の決定を行うに当たっては、構造、工事の仕様、材料等により共用部分や他の専有部分への影響が異なるので、専門的知識を有する者への確認が必要である。 （マ R3）

問3 Sec.1 **5**

建物の建替え及びマンション敷地売却に係る合意形成に必要となる事項の調査費用は、修繕積立金を取り崩して充当することができる。 （マ R4）

問4 Sec.2 **3**

管理組合の役員には、会計担当理事を置くこととされており、会計担当理事は、理事のうちから、理事会で選任する。 （管 H27）

問5 Sec.2 **3**

監事は、いつでも、理事及び管理組合の職員に対して業務の報告を求め、又は業務及び財産の状況の調査をすることができる。 （管 R4）

問6 Sec.2 **4**

理事長と管理組合との利益が相反する事項については、理事長は、管理組合が承認した場合を除いて、代表権を有しない。 （管 H28）

問7 Sec.3 **2**

組合員の配偶者は、その組合員の住戸に同居していなくても、その組合員の代理人として総会に出席することができる。 （マ R3）

問8 Sec.3 **3**

理事会の議決事項の中には、収支決算案、事業報告案、収支予算案及び事業計画案がある。 (管 R3)

問9 Sec.4 **4**

収支決算の結果、管理費に余剰を生じた場合には、その余剰は翌年度における管理費に充当する。 (管 H29)

問10 Sec.5 **4**

団地管理組合（区分所有法第65条に規定する団体をいう。）では、理事長が、毎年1回団地総会（通常総会）を招集するほか、棟総会を毎年1回招集しなければならない。 (マ H25)

問11 Sec.6 **4**

店舗のための看板等の設置については、内容、手続等について、店舗部会において、使用細則を定める。 (マ H27)

解答

問1 × 天井、床及び壁は、躯体部分を「除く部分」が専有部分とされている。

問2 ○

問3 ○

問4 ○

問5 ○

問6 × 管理組合と理事長との利益が相反する事項については、たとえ管理組合が承認したとしても、理事長は代表権を有せず、監事または理事長以外の理事が管理組合を代表する。

問7 ○

問8 ○

問9 ○

問10 × 棟総会は毎年1回招集するものとはされていない。

問11 × 店舗部会は意思決定をする機関ではないので、使用細則を定めることはできない。

入門講義編

CHAPTER **3**
民 法

<table>
<tr><td>Sec. 1 意思表示</td><td>Sec. 8 賃貸借契約</td></tr>
</table>

Sec. 1 意思表示	Sec. 8 賃貸借契約
Sec. 2 代　理	Sec. 9 請負契約・ 委任契約
Sec. 3 時　効	
Sec. 4 不動産物権変動	Sec. 10 債務不履行と 契約の解除
Sec. 5 共　有	
Sec. 6 契約の種類・ 成立等	Sec. 11 債権の担保
	Sec. 12 不法行為
Sec. 7 売買契約	Sec. 13 相　続

意思表示

この Section で学ぶこと

もちろん
売りますよ

どうしよう
かなぁ…

ある人が、正常な心理状態で、本心からしたいと思って**契約**したのであれば、その契約内容を守るべきです。でも、意思決定する過程に問題があったり、勘違いで本心と異なる契約をしてしまうこともあります。そんなとき、契約を"なかったこと"にできる仕組みがあります。

1 意思表示とは

お互いの気持ちが
一致することがポイント!

例えば、売買契約の場合、売り手と買い手（**契約の当事者**）の両方が**お互いに契約の意思を伝え合い**、その**意思が合致**して、**はじめて契約が成立**します。そして、この「契約をしたい」という気持ちを相手方に伝えることを「意思表示」といいます。

契約にあたって、お互い本心から意思表示ができていれば問題ないのですが、そうでなければ、契約の成立に支障が出ます。そこで民法は、トラブルが起きたときに備えて、解決するためのさまざまな仕組みを用意しています。

2 意思の決定過程に問題があった場合

だまされたりおどされたりして
意思表示した場合だよ!

1 詐 欺

詐欺とは、人をだますことです。例えば、Aさんが、Bさんから「新しい法律ができたせいで、もうすぐマンションの価格が暴落する」というウソをつかれて、自分のマンションをあわてて売却したような場合です。

詐欺によって行った意思表示がそのまま有効では、本人がかわいそうです。このように、詐欺の被害者は、保護してあげる必要がありますので、**詐欺による意思表示**は、取り消すことができます。

ひとこと

だまされて「マンションを売る」と意思表示をしても、それを**取り消せ**ば、法律的にはそもそも「売る」と言っていないことになります。

2 強 迫

強迫とは、人をおどすことをいいます。例えば、「Aさんのマンションが欲しい」と考えたBさんが、Aさんをおどし、Aさんが恐怖心から、やむなく、そのマンションをBさんに売却したような場合です。

強迫によって意思表示をした者も、詐欺と同様、保護する必要がありますので、**強迫による意思表示**も取り消すことができます。

ひとこと

犯罪に対する刑罰を定めた刑法では、「人をおどす」ことを「脅迫」と書きますが、これと区別して、民法では「**強迫**」と表します。

3 意思表示が真意でなかった場合

本心とは違う意思表示をした場合だよ!

1 心裡留保

心裡留保とは、本心（真意）でないことを本人が自覚していながら意思表示することです。例えば、Aさんが、自分のマンションを全然売却する気がないのに、Bさんに対して冗談で「500万円で売ってあげる」と言ったような場合です。

本人（**表意者**）は冗談のつもりでも、相手が本気にした場合、言葉を信頼して取引した相手方を保護する必要がありますので、心裡留保による意思表示は、原則として有効です。

しかし、**相手方が、本人が本心から言っていないことを知っていた場合**や、**不注意で知らなかった場合**（冗談と気づくべきなのに、そそっかしくて気づかなかった場合）は、保護する必要がないので、**意思表示は無効となります**。

ひとこと
詐欺・強迫による「取消し」と心裡留保による「無効」は違います。「取消し」の場合は、取り消さずに黙っていたら有効となりますが、「無効」の場合は、何もしなくても効力は生じません。

2 虚偽表示

虚偽表示とは、本人（表意者）が相手方と共謀して、ウソ（**虚偽**）の意思表示をすることをいいます。例えば、借金のカタに自分のマンションを取られそうになったAさんが、自分の物でないように見せかけるため、Bさんとグルになって、虚偽の売買契約を締結したような場合です。

虚偽表示の場合、表面上は契約が成立したように見えますが、当事者の両方とも本心は違っており、本来の意思表示としての効果を認めることはできませんので、**無効**となります。

ひとこと
心裡留保の意思表示を「原則有効」としたのは、**意思表示を信じた相手方を保護する**ためです。これに対して、虚偽表示の場合は、相手方も共謀しているので、その保護が不要だから、無効です。

3 錯 誤

錯誤とは、**勘違いで意思表示をすること**をいいます。例えば、Aさんは、現在居住している甲マンションと、セカンドハウスとして利用している乙マンションの2つを所有しているとします。Aさんは、乙マンションをBさんに売ろうとしたのですが、うっかり勘違いをして「甲マンションを売る」と言ってしまったような場合です。

勘違いで行った意思表示が有効になるのは本人が困りますので、**錯誤による意思表示は取り消すことができます**。

ただし、勘違いによる意思表示がすべて取消しできてしまうと、取引の相手方に迷惑がかかりますので、**取消しを主張できる場合を限定する**ために、次の**1 2 3**のすべてが条件とされています。

板書 「錯誤による取消し」が認められる条件 🔖

1 錯誤が、次の①②に基づくこと

① **意思表示に対応する意思を欠いている**

　例 Aマンションを売りたいのに「Bマンションを売る」と表示した

② 法律行為の基礎とした事情に対する表意者の認識（動機等）
　が真実に反している（動機の錯誤）　⬆

　　⚠ **動機等が必ず表示されていなければならない！**

　例 「土地の価格が再開発等によって上がる」と誤解して契約した

2 錯誤が、**法律行為の目的・取引上の社会通念**に照らして
　重要なものであること

3 錯誤が、**重大な過失**によるものでないこと

ひとこと

　重大な過失とは、故意（わざと）と同視されるほどの不注意があった場合をいいます

以上、**2 3**の各意思表示における、その内容・契約の効果をまとめると、次のようになります。

板書 各意思表示の「取消し」と「無効」のまとめ

ケース	内　容	契約の効果
詐　欺	だまされて意思表示すること	一応有効だが 取り消すことができる
強　迫	おどされて意思表示すること	
心裡留保	本心と異なる意思表示をしていることを本人は自覚している（**例** 冗談を言った）こと	**原則** 有効 **例外** 相手方が悪意か有過失の場合は無効
虚偽表示	相手方とグルになってウソの意思表示をすること	無効
錯　誤	勘違いをして本心と異なる意思表示をすること	**原則** 取り消すことができる **例外** 重大な過失がある場合等は、取り消せない

4 善意・悪意・過失

ここで、**意思表示**の理解にあたって必要な用語を押さえておきましょう。

❶ 善意・悪意

例えば、「❸1の**心裡留保**」で出てきた、相手方が真意を「知っていた」場合ですが、この「**知っている**」ことを、法律用語では「**悪意**」といいます。

そして、悪意の反対で、「単に**事実を知らない**」ことを、「**善意**」といいます。

ひとこと

　普段「悪意」というと、悪い感情を示す意味に使われますが、法律的にはマイナスの意味はなく、単純に「事実を知っている」ことだけを指します。逆に、「善意」は「事実を知らない」ことだけを指します。

❷ 過失 (かしつ)

一定の事実を認識すべきなのに不注意で気づかないことを、「**過失**」といいます。例えば、Aさんが冗談で「自分の土地を50万円で売ろう」とBさんに言いました。日頃Aさんは冗談をよく言うことを知っていながら、Bさんが、Aさんの発言を軽率に信じた場合、BさんはAさんの真意については善意であるものの、過失があることになります。

過失のあることを「**有過失**」、ないことを「**無過失**」といいます。

重要度 マ B 管 S

自分の契約は自分でするのが原則ですが、すべて自分自身でしなければならなかったら、例えばたくさん取引をして商売を広げたくても、限界があります。そこで、本人の代わりに契約してくれる存在が、**代理人**です。

1　代理制度の仕組み

代理では必ず「3人」は登場するよ！

1　代理とは

代理とは、契約などの法律行為を、**本人以外の者**が本人に代わってしてあげることをいいます。

例えば、Ａさんは、自分のマンションを売りたいと考えましたが、経験がなくて不安だったので、不動産に詳しい友人のＢさんに代わりを頼みました。そして、Ｂさんは、買主Ｃさんを見つけて、ＣさんとＡさんのマンションの売買契約を結んできました。これが代理という仕組みです。

この場合、代理の依頼者Ａさんを**本人**、Ｂさんを**代理人**、Ｃさんを**相手方**といいます。

ひとこと

　　代理は、委任状の交付等がなくても成立します。また、代理人は、制限行為能力者であってもかまいません。

2 代理行為と代理の効果

代理行為は、代理人自身が行います。「契約しましょう」と意思表示をするのは代理人ですし、契約書に押す印鑑も、本人のものではなく、代理人の印鑑を押します。

しかし、**契約の効果**は、直接本人に帰属します。つまり、本人が代理を頼まずに、**自分自身で契約**した場合と同じことになります。

3 顕名（けんめい）

代理行為は、代理人自身が行いますが、代理人が「**私は本人の代理人です**」と、きちんと伝えてくれないと、契約の相手方は、代理人自身が契約相手になるのか、本人が契約相手になるのか、わかりません。

そこで、代理人が代理行為をする時は、本人の代理人であることを相手方に示す、**顕名**ということをしなければなりません。

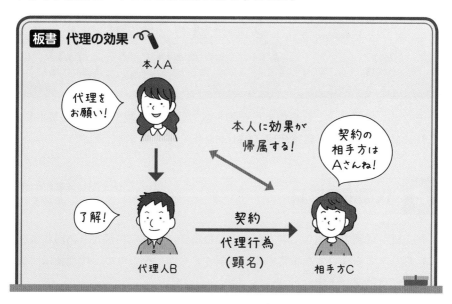

板書 代理の効果

代理をお願い！

本人A

本人に効果が帰属する！

契約の相手方はAさんね！

了解！

代理人B

契約
代理行為
（顕名）

相手方C

4 自己契約・双方代理・利益相反取引の禁止

例えば、売買契約において、売主の代理人と買主が同一人物だったり（**自己契約**）、売主・買主両方の代理人となったり（**双方代理**）する場合、また

は、代理人自身の利益と本人の**利益**が相反するような取引の場面（利益相反取引）においては、代理人が、依頼者本人の利益を犠牲にして、自己の利益や契約当事者の片方の利益のみを図りかねない、という構造的な危険性があります。

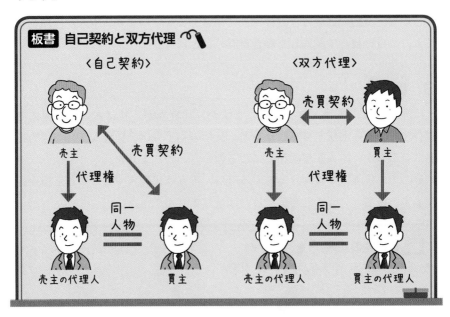

<table>
板書 自己契約と双方代理
</table>

そこで、民法は、これらの自己契約・双方代理・利益相反取引を禁止し、これに反した場合は、**無権代理**（**3**）になるとしています。

2 代理権の消滅

後見開始の審判だけ要注意!

　例えば、代理を依頼した本人が死亡した場合、本人の相続人も、同じように代理してもらうことを希望するとは限りません。そのため、代理権は、次の場合には消滅します。

板書 代理権の消滅

○：消滅する　×：消滅しない

	死亡	破産	後見開始の審判	解約
本人	○	○	×	○
代理人	○	○	○	○

ひとこと

後見開始の審判とは、重い病気等で判断力を欠くことになった場合に、成年後見人に財産の管理を任せる制度をいいます。自分の財産の管理すらできなくなったわけですから、ましてや他人の代理はできないと判断されるのです。

3 無権代理

代理権がない者が勝手に代理行為をしても無効だよ！

1 無権代理とは

無権代理とは、代理権を持っていない者が代理人を装った場合をいいます。こんなことが有効になったら本人がかわいそうですから、この**無権代理**は無効となります。

2 無権代理行為の追認

例えば、本人から代理権をもらっていないのですが、本人のためと思って、勝手に代理行為をしたとします。そのようなことは本来無効ですが、場合によっては、本人が有効にしたいと思うこともあるでしょう。

そこで、本人は、無権代理行為を追認（後から認めること）でき、追認すれば、その行為は契約の時にさかのぼって**有効**となります。

3 無権代理の場合の相手方の保護

無権代理行為によって被害を受ける可能性があるのは、**本人と相手方の両**

方です。

　そのため、まずは、「無権代理は原則として無効だが、追認もOK」として、**本人の保護**を十分はかっています。

　その一方で、**相手方の保護**のために、次のような手段を用意しています。

板書 無権代理の相手方の保護	
1 催告権	相手方は、本人に対して、追認するかどうか確答を求めること（催告）ができ、一定期間内に確答がないときは、追認を拒絶したと扱われる
2 取消権	無権代理について善意の相手方は、本人が追認する前に先手を打って、無権代理行為を取り消して、無効な状態に確定させることができる
3 無権代理人に対する責任追及	無権代理について善意・無過失の相手方は、無権代理人に対して、本人が負担すべきであったものと同一内容の契約を履行させること、または損害賠償の請求をすることができる

4 表見代理

本人にも責任が生じる「無権代理」のことだよ！

　表見（ひょうけん）代理とは、無権代理であっても、依頼した本人に無権代理行為について責任がある場合に、代理権がある場合と同様に、本人に契約の効果が帰属する制度をいいます。

　例えば、無権代理をしてしまうような無責任な人を代理人に選んでしまったり、白紙委任状を渡すなどして本人が代理権を与えたかのような誤解をさせてしまった場合等、本人に責任がある場合のことです。

　表見代理が認められるケースと、そのための要件は、次のとおりです。

ひとこと
　表中の「相手方の善意・無過失」とは、相手方が「代理人にその権限がある」と信じることについて正当な理由がある、と判断される場合のことです。

板書 表見代理が認められるための要件 🔖

		要　件	例
1	代理権授与を表示した場合の表見代理	①本人が他人に代理権を与えた旨の表示をした ②表示された代理権どおりの行為をした ③相手方の善意・無過失	本人が白紙委任状の交付をした場合
2	権限外の行為をした場合の表見代理	①基本代理権の存在 ②基本代理権外の行為をした ③相手方の善意・無過失	土地の「賃貸借契約」の締結の代理権しか与えていないにもかかわらず、代理人が「売買契約」を締結した場合
3	権限消滅後に行った表見代理	①かつて代理権を有した者（現在は消滅している）の代理行為 ②代理権の消滅につき、相手方の善意・無過失	管理組合の管理者が、辞任したにもかかわらず、いまだ管理者として行動している場合

ひとこと
　表見代理が成立する場合でも、相手方は、無権代理人に対して責任追及を行うことを選択することもできます。

　なお、表見代理が認められるためには、相手方は善意・無過失でなければなりません。

Section 3　時　効

この Section で学ぶこと

　刑事ドラマでは「時効」がよく出てきます。犯罪者が一定期間逃げきれれば、もはや裁判にかけられなくなるという仕組みのことです。民法は犯罪について定める法律ではありませんので、ドラマの時効とは少し趣旨は違いますが、**時効**という制度について定めています。

1　時効の種類（じ こう）

民法の時効には
2種類があるよ！

　時効とは、「一定期間継続してきたある事実を、そのまま権利関係として認める」という仕組みです。例えば、他人の物を自分のものにできたり、長い間返さなかった借金をなかったことにできるのです。**マンション**でいえば、**管理費の長期間の滞納**が、よく問題になります。

　時効には、次の2種類があります。

板書　時効の種類

1	取得時効	一定期間の経過で、権利の取得を認めること
2	消滅時効	一定期間権利を行使しないと、権利が消滅すること

　例えば、本当はＡさんが所有している土地を、Ｂさんが我が物顔で所有者のように使用する状態が長く続いた場合、周りの人はＢさんを所有者として扱っています。それを「実は土地はＡさんのモノ」とひっくり返すと、混乱が生じます。そこで、続いてきた状態を尊重して、法律的にも土地をＢさんの所有物であることにするのが、**1**の取得**時効**です。

　その一方で、例えば、ＣさんがＤさんに対してお金を貸している（債権を有している）にもかかわらず、Ｃさんが取立てをまったくしない（権利行使をしない）状態が続けば、そこには債権が存在しないように見えます。その状態を尊重して、**法律的にも債権は存在しない**とするのが、**2**の消滅**時効**です。

2　取得時効

時効完成までに必要な時間は「10年」と「20年」！

　取得時効とは、他人の**物**を**長期間占有**することで、その所有権を取得することができる制度です。

> **ひとこと**
> 「占有」とは、物を現実に支配している状態をいいます。例えば、他人が所有する土地の上に家を建てて住んでいれば、下の土地を占有していることになります。

　所有権の取得時効には、占有期間が**10年**で足りる場合と、**20年**が必要な場合があります。

板書「取得時効」に必要な占有期間

1 10年	他人の物の占有の始めに、他人の物であることについて善意・無過失で、所有の意思をもって、平穏かつ公然に占有し続けた場合
2 20年	他人の物の占有の始めに、他人の物であることについて悪意または善意・有過失で、所有の意思をもって、平穏かつ公然に占有し続けた場合

3 消滅時効

> マンションの管理費は
> 5年で消滅時効にかかるよ！

　債権の権利行使をしない状態が長く続くと、その債権は、所有権と同様に時効によって消滅します。

　マンションの管理費等の債権は、次の期間の経過で消滅時効により消滅します。

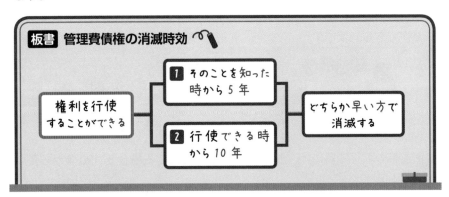

板書 管理費債権の消滅時効

権利を行使することができる	① そのことを知った時から5年	どちらか早い方で消滅する
	② 行使できる時から10年	

4 時効の援用と放棄

時効を主張するかどうかは
本人の自由だよ！

1 時効の援用
（えんよう）

時効の完成（時効の期間が満了すること）による効果は、利益を受ける当事者が、時効の利益を受ける旨の**意思表示**（援用といいます）をして初めて発生します。

時効は、他人の物をそのまま取得できたり、債務が消滅するなど、やや占有者や債務者に有利な面がありますので、時効で利益を受ける者の良心や判断に委ねているのです。

当事者が時効を援用しない限り、裁判所ですら、時効に基づいた判決をすることはできません。

2 時効の利益の放棄
（ほうき）

当事者は、時効の利益を放棄することもできます。そして、時効をいったん放棄すると、以後、**時効の援用はできません**。

ただし、**時効完成前にあらかじめ放棄**することは、**認められません**。

「事前の放棄」が可能だったら、債権者は皆、お金を貸すとき、債務者に時効を事前に放棄させる契約を結ぶでしょう。それでは、時効制度が無意味になってしまいます。

1 時効完成の猶予

時効完成の猶予とは、一定期間、**時効の完成がストップ**する制度です。

例えば、管理費の滞納者と管理組合の理事長との間で、今後の滞納管理費の支払方法等について協議したいと考えていても、時効がいったん止まらないと、協議中に時効が完成し、滞納した管理費を支払わなくてもよくなってしまうという事態が起きるおそれがあります。そこで、一定の場合には、時効の完成が猶予されるのです。

時効完成が猶予される「一定の場合」には、**訴訟の提起**や**催告**（内容証明郵便等で督促すること）、**協議の合意**等が該当します。

2 時効の更新

時効の更新とは、時効のカウントが**ゼロに戻り**、そこから再スタートすることをいいます。

次の場合に、時効が更新されることになります。

板書 時効が更新する場合

1 訴訟等の裁判上の請求により、<u>権利が確定した時</u>

　　　　　　　　　　　　　　　　　　例 勝訴判決が確定した時

⚠敗訴等で権利が確定しなかった時は、時効は更新しません

2 強制執行手続等が実施され、それが完了した時

3 債務者が債務を承認した時

時効完成の猶予と時効の更新をまとめると次のようになります。

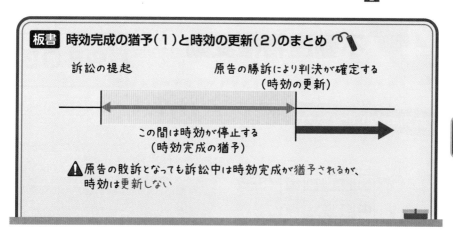

6 時効の効力

さかのぼって効果が
発生するのがポイント!

時効が完成して、それを援用した場合、次のような効果が生じます。

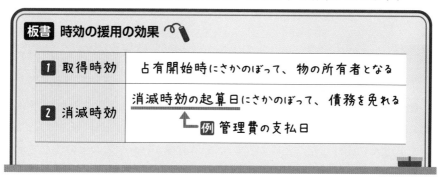

不動産物権変動

重要度 マB 管B

この Section で学ぶこと

601号

えー!!

まさか!?

権利証
○×マンション
601号

権利証
○×マンション
601号

Aさんが B さんにマンションを売却すると、そのマンションの区分所有権は、A さんから B さんに移転します。しかし、所有権が移転したことは、**外からは見えません。**それを悪用して、A さんは C さんにも売ってしまうかもしれません。こんなとき、マンションの所有権は誰のものになるのでしょうか。

1　物権変動とは

売買契約が成立しただけで
所有権は移転するよ!

物権変動とは、所有権などの**物に対する権利**（物権）が、**発生**したり、**移転**したり、**消滅**したりすることをいいます。例えば、A さんが自分のマンションを B さんに売却したことによって、区分所有権が移転するなどのことです。

　物権変動は、原則、契約が成立しただけで、その効力が生じます。

2　対抗要件

登記をしておかないと
不動産の権利を守れないよ!

　同じ物を二重に売却することを、二重譲渡といいます。この場合、譲り受けた人同士は、お互いに「自分が所有者だ！」と主張してトラブルになります。

ひとこと

　所有権が移転したことは、外からは見えないので、このようなことも生じてしまうのです。

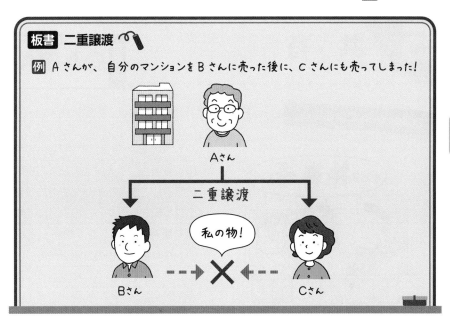

しかし、マンションは1つしかありません。そこで「どちらが所有者なのか」を決める手段として登場するのが、対抗要件という考え方です。

対抗要件とは、ある権利を契約当事者以外の第三者に主張するための一定の要件のことです。土地・建物などの不動産については、登記という、**物理的状況や権利の所在などを記録**する制度が設けられており、国が管理する**公的な記録**として、誰でも内容を簡単に確認することができます。

それが、「**不動産の場合の対抗要件は登記**」である理由です。

不動産の二重譲渡の場合は、次のように決着がつけられます。

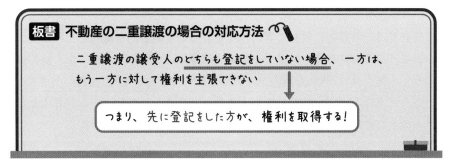

5 共 有

この Section で学ぶこと

1つのモノを3人で共同して所有する場合、1人が他の2人の意思を無視して勝手に処分を決めたらトラブルになります。このように、**共同で所有する**ことを「共有」といい、**共有物の管理の方法**などについてのルールを、民法で規定しています。

---

1 **共有の権利関係**

1つの権利を複数の者で
共同して持つこともできるよ！

1 共有とは

共有とは、1つの物を2人以上の者で**共同して所有**することです。共有の対象を「**共有物**」、共同で所有している者を「**共有者**」といいます。

2 持 分

共有者は、共有物に対して各自「持分」という**割合的な権利**を持ちます。

民法は、この共有者の持分を、原則「**相等しい**」としていますが、特約によって、例えば、2,000万円のマンションを、Aさんが1,000万円、Bさん・Cさんが500万円ずつ支払って購入すれば、Aさんの持分は $\frac{1}{2}$、BさんとCさんはそれぞれ $\frac{1}{4}$ ずつの持分にすることとなります。

持分自体は、各共有者が単独で有する権利ですので、各共有者は、**他の共有者の承諾は不要で**、自分の持分を譲渡したり抵当権（**Sec.11** で学習）を設定するなどの**処分**を、**自由**にすることができます。

> **ひとこと**
> ＡＢＣ間の協議に基づかずにマンションをＡさんが占有している場合でも、ＢさんやＣさんは、マンションの明渡しを当然には請求することはできません。Ａさんは無権利者ではなく共有者の１人として占有しているからです。

3　共有者の１人が持分の放棄や死亡して相続人がいない場合

共有者の１人が相続人がいないまま死亡したり、自己の持分を放棄した場合は、その持分は他の共有者にその持分に応じて帰属します。

例えば、前述のケースで相続人がいないままＡさんが死亡した場合、Ａさんの持分はＢさんとＣさんにそれぞれ $\frac{1}{4}$ ずつ帰属します。

共有物を管理する方法は、次のように3種類あります。

板書 共有物の管理の方法

行為の種類	内　容	要　件
1 保存行為	修理・登記など	各共有者が単独でできる
2 利用・改良行為	賃貸借の解除など	各共有者の持分の価格の過半数
3 軽微変更行為	形状・効用の著しい変更を伴わない変更行為 砂利道をアスファルト舗装するなど	
4 重大変更・処分行為	形状・効用の著しい変更を伴う変更行為 売却・増改築など	共有者全員の合意

　例えば、マンションの1室に対して行う修理などの**1 保存行為**は、管理に必要であり、共有者全員にとって利益になることですので、単独で行っても問題ありません。

　これに対して、賃貸借契約の解除などの**2 利用・改良行為**は、必ずしも管理に不可欠ではありません。また、例えば、共有物を貸している場合、その賃貸借契約を1人で勝手に解除すると、他の共有者が知らない間に賃料収入を失うなどの不利益も生じます。この場合は、「過半数（**多数決**）で決める」ことになります。

　さらに、共有物を変更する場合、砂利道をアスファルト舗装する等の軽微変更は「過半数で決める」ことになり、共有物を増改築するなどの**4 重大変更行為**は、各共有者に大きな影響を与えるので、全員の**合意**が必要です。

3 共有物に関する負担

権利の持分の割合が大きければ
代わりに負担も重くなるよ！

　共有物の**管理費用**（修繕費など）は、各共有者が、その**持分の割合に応じて負担**します。

　そして、ある共有者が1年以内に管理費用を支払わない場合、共有関係から排除するために、他の共有者は、相当の償金を支払えば、その者の持分を取得することができます。

4 共有物の分割

共有状態をやめることも
できるよ！

　例えば、お互いの仲が悪くなったなどで、各共有者が共有関係をやめる場合は、**いつでも共有物の分割を請求**することができます。

ひとこと
　　一棟の建物など分割が困難な場合は、競売にかけて、**金銭によって分割**します。また、話し合いでは分割方法が決まらないときは、裁判所に分割してもらうように請求することもできます。

　なお、共有者の間で、**5年以内**の期間を定めて、「分割をしない」という内容の特約（**不分割特約**）を結ぶこともできます。その特約は、更新することもできますが、その期間は、やはり「**5年以内**」となります。

Section 6 契約の種類・成立等

重要度 マB 管B

契約は、実は**とても身近で不可欠**なものです。スーパーで食料品や生活必需品の買い物をすることは、カタい表現をすれば「売買契約の締結」です。そのほか、会社に就職することや建物の修理を依頼すること、借金をすることなどは、すべて契約によって行われています。

1 契約の種類

契約の内容は
自由に定めることができるよ！

民法に規定されている「契約」は13種類あり、その中で**特に重要**なのは次のものです。

板書 「契約」の種類

贈　与	「私の物をタダであげる」と言って、相手方が「欲しい！」と返事をすれば成立する契約
売　買	物をあげる約束をして、その代わりにお金をもらう契約
消費貸借	お金などを現実に貸し出す・借りる契約
使用貸借	タダで物を貸す・借りる契約

賃 貸 借	物を、賃料をもらって貸す・賃料を払って借りる契約
請 負	報酬を払って仕事を完成させる・完成してもらう契約
委 任	自分の代わりに事務処理をしてもらうことを依頼する契約

ひとこと

これらの契約は、あくまで"典型的なもの"ですので、当事者の合意で、それ以外の独自の契約を締結することもできます。

2 契約の類型

分類の方法が
4つあるよ!

契約は、その特徴により、次のように分類されます。

板書 契約の分類 🖋

1 典型契約・非典型契約

典型契約	民法に規定がある契約 (13種類)
非典型契約	民法に規定がない契約

2 有償契約・無償契約

有償契約	契約の両当事者が対価 (建物の引き渡しと代金支払等) の支出をする契約
無償契約	契約当事者が対価 (代金や賃料等) の支出をしない契約 例 贈与契約

3 双務契約・片務契約

双務契約	契約の両当事者が債務を負う契約
片務契約	契約の一方の当事者だけが債務を負う契約

4 諾成契約・要物契約

諾成契約	当事者の意思の合致だけで成立する契約
要物契約	物を実際に引き渡さないと成立しない契約

3 契約の成立

当事者が合意すれば
契約は成立するよ！

契約は、**一方からの申込み**とそれに対する**相手方の承諾**という、当事者間の意思表示が合致すれば成立します。

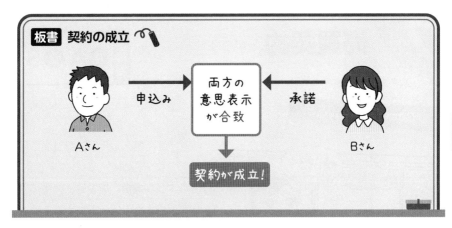

　例えば、Aさんが、相手方のBさんに対して「私のマンションを2,000万円で買いませんか」と話をもちかけ、Bさんが「わかりました。その条件で買いましょう」と返事をしました。これで、マンションの売買契約は成立します。

　最初に「話を持ちかけた」という**意思表示**が**申込み**で、「その申込みを受け入れる」という**返事**が**承諾**です。

　なお、売主・買主どちらの意思表示が「申込み」になるかは、契約によって異なります。そのため、逆に、Bさんのほうから先に「そのマンションを売ってくれませんか」と話を持ちかければ、Bさんの意思表示が「申込み」になり、これに対するAさんの「わかりました。売りましょう」という返事が「承諾」になります。

4　契約書の作成

契約書の作成は
原則、不要だよ！

　不動産などの高額な売買契約をする場合、一般的には契約書を作成します。そのため、「契約書の作成＝契約の成立」と考えられがちですが、当事者間の意思表示が合致すれば、契約は、**契約書なしで成立**します。つまり、たとえ土地を1億円で売買する契約でも、法律的には口約束さえあれば成立するのです。

　それでは、なぜ契約書を作成するのかというと、互いの意思表示が合致したことを証明する"証拠"として残すためです。

Section 7 売買契約

重要度　マ A　管 S

この Section で学ぶこと

傾いてる？

せっかく購入したマンションの専有部分に欠陥があったら大変です。そのような場合、買主は、売主に対してどのように責任をとってもらえばよいのでしょうか。また、買主は売主に対し、欠陥があったことを、いつまでに通知すればよいのでしょうか。

1 契約不適合責任とは

マンションの欠陥等が発覚した場合に生じる責任のことだよ！

　売買契約の目的物の種類・品質・数量に関して、契約内容に適合しない（つまり、「契約不適合」である）場合、売主は、契約内容にマッチした目的物を渡す義務等を負います。この義務を、**契約不適合責任**といいます。

　例えば、建物の売買契約時に買主に知らされていない欠陥があったり、契約時に決めた目的物の数や面積が足りていなかったりする場合が該当します。

ひとこと

　なお、契約時にマンションに雨漏りが生じていても、「雨漏りが生じている」こと自体が契約の内容になっていて、そのことを買主も承諾していれば、「契約不適合」の状態ではないため、売主は責任を負う必要はありません。

1 買主が請求できる権利

契約不適合が生じた場合、買主は売主に対して、次の権利を請求することができます。

板書 買主が請求できる権利

1 損害賠償請求	⚠ 売主に責任がない場合は請求不可	
2 契約の解除	⚠ 契約不適合が軽微な場合は解除不可	
3 追完請求	例 修補、代替物・不足分の引渡し	
4 代金減額請求	⚠ 原則として、売主が **3** 追完請求に応じなかった場合でなければ、請求不可	

ひとこと

　1 の請求は、売主の帰責任が必要ですが、**2**～**4** の請求の場合は、売主の帰責任は不要です。つまり、損害の発生が売主の責任でない場合でも、契約の解除等の請求には応じなければなりません。

2 権利の行使期間

買主は種類・品質に関する契約不適合について、上記**1**の請求等をするためには、原則として、契約不適合を**知った時**から1年以内に、売主に対し、契約不適合である旨を通知しなければなりません。

ひとこと

　契約不適合である旨を「知らせれば」よく、損害賠償請求等の「実際の権利の行使」を1年以内にする必要はありません。

3 請求された方法と異なる方法での追完

3 追完請求がなされた場合、売主は、原則として、買主が請求した追完の方法（修補、代替物・不足分の引渡し）を実行しなければなりませんが、買主に**不相当な負担を課するものでないとき**は、買主に請求された方法と異なる方法による履行の追完をすることができます。

> **ひとこと**
>
> 例えば、買主が代替物の引渡しを請求してきた場合でも、買主に不相当な負担を課するものでないなら、修補により追完することもできるのです。

4 免責の特約

売主と買主の間で、「**売主は契約不適合の責任を負わない**」旨の特約をすることもできます。ただし、売主は、この特約をした場合でも、**知りながら告げなかった事実**については、その責任を**免れる**ことができません。

2 手 付

手付とは、売買契約締結の際に、買主が売主に引き渡す金銭をいいます。
この手付には、次の3つの意味合いがあります。

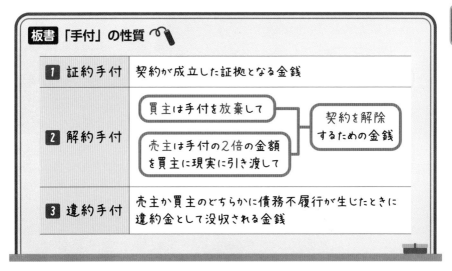

板書 「手付」の性質

1 証約手付	契約が成立した証拠となる金銭
2 解約手付	買主は手付を放棄して / 売主は手付の2倍の金額を買主に現実に引き渡して → 契約を解除するための金銭
3 違約手付	売主か買主のどちらかに債務不履行が生じたときに違約金として没収される金銭

なお、解約手付については、相手方が「**履行に着手**」(契約の内容を実行
し始めること)してしまった場合は、解除をすることができません。履行に
着手した場合には以下のものが該当します。

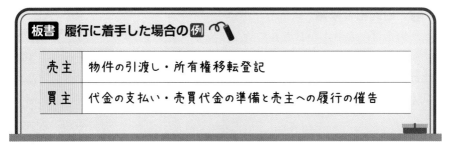

板書 履行に着手した場合の例

売主	物件の引渡し・所有権移転登記
買主	代金の支払い・売買代金の準備と売主への履行の催告

Section 8 賃貸借契約

この Section で学ぶこと

　賃貸借契約とは、賃料を払って物を貸し借りする契約で、レンタル店でCDを借りたり、レンタカーを借りたり、マンションを借りたりすることです。貸す人を**賃貸人**、借りる人を**賃借人**といい、賃借人は借りる時に**賃借権**という権利を持つことになります。

1 賃貸人・賃借人の義務

賃貸人・賃借人
それぞれに義務があるよ!

1 賃貸人の義務

❶ 目的物の修繕

　例えば、AさんがBさんに貸しているマンションの専有部分で水漏れがあった場合、破損した配水管を修繕するのは、**賃貸人**（貸主）Aさんの義務です。Aさんが自分の専有部分を賃料をもらって貸す以上、きちんと使える状態にしておくべきだからです。

❷ 目的物にかけた費用の負担

　目的物の修繕は賃貸人の負担で行いますが、賃借人（借主）Bさんが、借りた専有部分の水漏れを自分で修繕することもあります。また、壁紙を貼り替えた場合等、修繕ではありませんが、目的物の価値の増加のために出費することがあります。

これらの費用の負担は、次のように**必要費**と**有益費**の2つに分けて、扱われます。

板書 「費用」の種類 ✏️

	1 必要費	**2** 有益費
内　容	目的物を使用するうえで必要な費用 **例** 水漏れの修繕	目的物の価値を増加させた費用 **例** 家の壁紙を貼り替える ⚠️「必要不可欠」ではない！
費用を償還してもらう時期	直ちに	賃貸借終了時（でよい）
請求できる額	全　額	賃貸人の選択で ①全額、または ②高まった価値の分のどちらかを支払えばよい

2 賃借人の義務

❶ 賃料の支払時期

賃借人は、賃料を支払う義務を負いますが、その支払時期は、原則「後払い」です。例えば、4月分の家賃は4月末日に払えばよいのです。なお、特約で賃料の支払時期を変更しても OK です。

❷ 敷金

敷金とは、賃料の不払いなど、賃借人による債務不履行に備えた担保として、契約の際に、賃借人が賃貸人に支払う金銭をいいます。

契約期間の終了後、敷金は賃借人に返還されますが、その時期は、目的物の**明渡し**の終了後です。

1 賃借権の譲渡

賃借権の譲渡とは、物を借りる権利を第三者に譲渡することです。例えば、Aさん所有のマンションを賃借しているBさんが、自分の賃借権をCさんに譲渡して、Cさんが賃借人になる場合です。

2 転 貸

これに対して、**転貸**とは、いわゆる"又貸し"のことで、賃借人Bさんがマンションを第三者Cさんに、さらに賃貸することです。

例えば、賃借人が転勤のため、賃貸物件に住み続けることができなくなった場合に、転勤の間だけ知人に転貸するケースがあります。

転貸の場合、Bさんは引き続き、Aさんとの関係では**賃借人**のままですが、Cさんとの関係では、自分が**賃貸人（転貸人）**の立場になります。

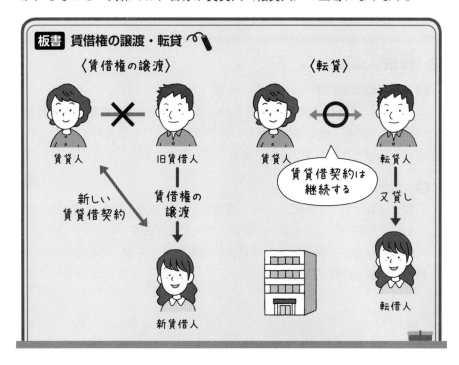

3　無断譲渡・転貸の禁止

　このとき、賃借人が、勝手に賃借権の譲渡・転貸をすると、賃貸人が困りますので、民法によって、次のように規定されています。

板書　賃借権の譲渡・転貸

1 賃借権の譲渡・転貸を行う場合は、賃貸人の承諾が必要

2 賃借人が賃貸人に無断で譲渡・転貸をして、第三者に目的物を使用させた場合、賃貸人は、原則、賃貸借契約を解除できる

　なお、無断転貸・譲渡の場合であっても、その行為が賃貸人に対する**背信的行為と認められないような特段の事情**があるときは解除することはできません。

ひとこと

　　背信的行為と認められないような特段の事情には、夫婦の離婚に伴い、夫が妻へ賃借権を譲渡・転貸した場合等が該当します。

請負契約・委任契約

重要度 マB 管A

この Section で学ぶこと

管理組合のメンバーが自分たちだけでマンション管理のすべてを行うのはなかなか困難です。そこで、普通は管理については管理業者に委任（委託）したり、大規模な修繕工事をする場合には建設会社に工事を発注（請負）したりするなど、外部の業者に依頼して行うこととなります。

---

1 うけおい
請負契約

修繕や建設工事を依頼する契約だよ！

請負とは、請負人が特定の仕事を完成させ、それに対して注文者が報酬を支払うことを目的とする契約です。

ひとこと

例えば、分譲会社が建設会社にマンションの建築を注文する契約が該当します。

1 請負契約にかかる報酬

請負人の報酬は、仕事の目的物の引渡しが必要な場合は**引渡しと同時に**、引渡しが不要な場合は、**仕事の完成後**に支払います。

ただし、未完成の段階であっても、次の各要件を満たす場合は、請負人は**既に完成した部分に対応する報酬**を、注文者に対して請求することができま

す。これを、**仕事未完成の場合の報酬請求権**といいます。

板書 仕事未完成の場合の報酬請求権の発生要件

1 次のどちらかによって、仕事の完成が不可能となった場合
　① 注文者の責任ではない状況が発生したとき
　② 請負契約が仕事の完成前に解除された場合

2 既に終わった仕事の部分の結果が可分（既に完成した部分だけで利用が可能）な場合

3 完成した部分の提供によって注文者が利益を受ける場合

ひとこと

注文者が建築請負契約を解除した後、別の第三者と請負契約を締結し、既施工部分を利用してその残工事を完成させたような場合が、「既に終わった仕事の部分の結果が可分な場合」に該当します。

2　注文者の契約解除権

　注文者は、請負人が仕事を**完成する**前であれば、いつでも損害を賠償して契約を解除できます。

3　請負人の契約不適合責任

　請負契約の場合も、売買契約（➡ Sec.7）の場合と同様に、請負人は、完成させた仕事の目的物が、その種類・品質について請負契約の内容に適合しない場合、注文者に対して契約不適合責任を負います。

　契約不適合が生じた場合、注文者は請負人に次の権利を請求できます。

板書 注文者が請求できる権利	
1 損害賠償請求	⚠ 請負人に責任がない場合は請求不可
2 契約の解除	⚠ 契約不適合が軽微な場合は解除不可
3 追完請求	例 修補、代替物・不足分の引渡し
4 代金（報酬）減額請求	⚠ 原則として、請負人が **3** 追完請求に応じなかった場合でなければ、請求不可

4 注文者が提供した材料の性質等による不適合

注文者自身が提供した材料の性質、または注文者の与えた指図によって生じた不適合については、注文者の契約不適合責任の追及は認められません。

ただし、その不適合に関し、請負人が、その材料または指図が不適当であることを**知りながら告げなかった**場合、請負人は責任を免れません。

5 注文者の権利の行使期間

注文者は、契約不適合を知った時から**1年以内**に、請負人に対して、その旨の通知を行わなければなりません。ただし、請負人に悪意・重過失がある場合は、1年以内に通知をしなくても、注文者は責任追及をすることができます。

6 担保責任についての特約

売買契約と同様に、注文者と請負人で、「**請負人は契約不適合の責任を負わない**」旨の特約をすることもできます。ただし、請負人は、この特約をした場合でも、**知りながら告げなかった事実**については、その責任を**免れる**ことができません。

2 委任契約

管理委託契約が
該当するよ!

　当事者の一方が**法律行為**（契約等）を行うことを相手方に**委託**し、相手方がこれを**承諾**することでその効力を生じる契約を、**委任**といいます。

　そして、委任する側を**委任者**、委任を受ける側を**受任者**といいます。

ひとこと
　　法律行為以外（例 マンションの管理等）の行為の委託をすることを、準委任といいます。

1 善管注意義務

　受任者は、委任の本旨（契約の内容や地位等）に従い、善良な管理者の注意をもって、委任事務を処理する義務を負います。これを**善管注意義務**といいます。

ひとこと
　　善管注意義務とは、**受任者の地位や職業等**に応じて、社会通念上、客観的・一般的に要求される注意を払うべき義務をいいます。

2 自己執行義務

　委任は、当事者間の信頼関係が強い契約ですので、原則、受任者自身が事務処理をしなければなりません。これを自己執行義務といいます。

　しかし、次のどちらかの場合は、例外的に、他人に再委任することが認められています。

板書 再委任が認められる場合

1 委任者の許諾があるとき　　**2** やむを得ない事情があるとき

---

3 受任者の報告義務

受任者は、次の場合、委任者に対して依頼された事務（委任事務）について、報告をしなければなりません。

板書 受任者の報告義務

委任者の請求が あった時	いつでも委任事務の処理状況を報告しなければならない
委任が終了した時	遅滞なく、その経過および結果を報告しなければならない

4 受任者による受取物の引渡し等

受任者は、委任事務を処理するにあたって受け取った金銭その他の物を、委任者に引き渡さなければなりません。また、委任事務を行った間に収取した果実（賃料等）についても、同様です。

5 報酬請求

委任は、無償（タダ働き）が原則です。したがって、特約をしなければ報酬を請求することはできません。

また、報酬支払の特約がある場合で、委任契約が途中で終了したときは、既に**履行し終わった部分の割合**に応じて、委任者に報酬を請求することができます。

ひとこと

委任者の責任で委任事務が履行不能となった場合には、受任者は報酬の全額を請求することができます。

6 費用の負担

委任事務を実施する場合、費用がかかることもあります。そこで、受任者は、委任者に対して、次の費用の請求をすることが認められています。

板書 費用の請求の種類 🔖

費用の前払請求	委任者は、受任者の請求により、その前払いをしなければならない
費用の償還請求	受任者は、委任事務を処理するのに必要と認められる費用を支出したときは、委任者に対し、その費用および支出の日以後におけるその利息の償還を請求することができる

7 委任契約の解除

委任は、各当事者が、いつでも解除することができます。ただし、次の場合は、**やむを得ない事由がある場合**を除き、相互に、相手方に生じた損害を賠償しなければなりません。

板書 相手方に対する損害賠償が必要な場合 🔖

1 相手方に不利な時期に解除した場合

2 受任者の利益をも目的とする委任契約を、委任者が解除した場合

ひとこと

「受任者の利益をも目的とする委任契約」とは、例えば、受任者が委任者に債権を有している場合に、その債権の回収や担保を行う目的のために、委任者が第三者に対して有する債権の取立てや受領の代理を委任する契約をすることが該当します。

Section 10

債務不履行と契約の解除

重要度　マA　管A

契約によって生じる義務を「**債務**」といいます。したがって、「**債務不履行**」とは、契約で決められた義務を果たさないこと、つまり**契約違反**を意味します。ここでは、契約違反をした場合に負わなければならない**責任**について見ていきましょう。

1　債務不履行とは

債務不履行には3種類があるよ！

契約で定めた約束を果たすことを「債務を履行する」といいます。**債務不履行**とはその反対で、約束を果たさないこと、いわゆる契約違反です。

債務不履行には、次の3種類があります。

板書 債務不履行の種類 🎇

1 履行遅滞	履行が可能なのに、期限までに履行しない場合 **例** 1ヵ月後にマンションを引き渡す約束だったのに準備が遅れてその日に渡せなかった！
2 履行不能	履行が不可能になった場合 **例** タバコの火の不始末で、マンションが全焼して引き渡せなくなった！
3 不完全履行	一応の履行はされたが、それが不完全な場合 **例** マンションの定期清掃で、管理業者がずさんな清掃業務をした！

　債務者に債務不履行の責任が生じるのは、**1**〜**3**どの場合でも、原則、不履行について債務者が責任を負わなければならない事由があることが前提です。

　また、上記「**1**履行遅滞」ですが、次の時期から遅滞となります。

板書 履行遅滞となる時期 ✏️

債権の種類	説　明	履行遅滞の時期
1 確定期限債権	支払日等が明らかな場合	期限の到来の時
2 不確定期限債権	支払日等がいつ到来するか不明な場合 例 父が死亡したら払う	①履行の請求を受けた時 ②期限の到来を債務者が知った時 のどちらか早い方
3 期限の定めのない債権	支払日等を決めなかった場合	履行の請求を受けた時

2　金銭債務の特則　　　　　　　お金の支払には特別な決まりごとがあるよ!

　管理費の支払義務のような「**金銭債務**」(お金の支払義務)には、次のような特則があります。

板書 金銭債務の特則 ✏️

1 債務不履行が不可抗力でも債務者は賠償責任を負う
2 債権者は、債務不履行により生じた損害の証明が不要
3 損害賠償の額は、法定利率(3%)による

⚠️当事者間で決めた利率(約定利率)の方が高い場合は、約定利率となる

3 損害賠償

損害が生じたら
賠償してもらえるよ!

1 損害賠償請求権

履行遅滞または履行不能によって債務不履行が成立すると、債権者は、債務者に**損害賠償**を請求することができます。

ひとこと

債権者にも過失があったために損害が広がってしまった場合は、そのぶん、賠償額を減額されることがあります。これを**過失相殺**といいます。

損害賠償は、金銭で行うのが原則です。また、損害賠償の範囲は、「**通常生ずべき損害**」の範囲が原則ですが、「**特別の事情によって生じた損害**」であっても、当事者がその事情を**予見できた**ときは、債権者は、債務者に特別の事情によって生じた損害の賠償を請求することができます。

ひとこと

「特別の事情によって生じた損害」には、買主が買受け価格の3倍以上の価格で転売する予定であったときの転売利益等が該当します。

2 損害賠償額の予定

損害賠償について話し合いがつかないときは、裁判で争うことになりますが、時間も、弁護士に依頼するなどの費用もかかります。そこで、争いを避けるために、あらかじめ、当事者間で損害賠償額を決めておくことができます。それが、**損害賠償額の予定**です。

当事者が決めた額で決着させるためのものですから、現実に発生した損害の額に影響されることはありません。例えば、ＡＢ間で「損害賠償額は100万円」とあらかじめ定めたら、現実の損害額が80万円でも120万円でも、「100万円の賠償額」となります。

4 契約の解除

1 契約の解除とは

契約の解除とは、当事者間でいったん有効に成立した契約を、**解除する権利を持った者（解除権者）の意思表示**で、なかったことにすることです。

つまり、解除される相手方の承諾は不要です。そして、いったん解除したら、後から撤回することはできません。解除権者の気まぐれで相手方が振り回されてしまうのは、かわいそうだからです。

債務不履行が生じた場合は、契約を解除できますが、**履行遅滞**の場合と**履行不能**の場合では、解除の要件が異なります。

板書 契約解除の要件

1 履行遅滞

> **例** AさんがBさんにマンションを引き渡したのに、Bさんが約束の期限までに代金を払わなかった！

➡ 債務者Bさんに対して、相当の期間を定めて履行の催告をして、その期間内に履行されない場合でなければ、契約を解除できない

⚠ 債務不履行が軽微な場合は解除不可

2 履行不能

> **例** Aさんのタバコの不始末(過失)で、AさんがBさんに売却したマンションが全焼してしまって引き渡せない！

➡ Bさんは、催告不要で、直ちに契約を解除できる

ひとこと

「履行」とは、実際に約束を果たすこと、「催告」は、相手に約束を果たすように請求することです。なお、履行の催告が必要なのは、「債務者にもう一度チャンスを与えよう」という趣旨からです。

2 解除の効果

解除の効果は、さかのぼって生じます。つまり、**契約**は、**最初からなかっ**たことになります。

そして、解除する前に、例えば、売買契約に基づいて**目的物の引渡しや代金の支払**があったのなら、それらを互いに**元どおりの形で返さなければなり**ません。

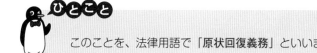

このことを、法律用語で「原状回復義務」といいます。

債権の担保

重要度 マA 管A

債権者は、確実に債権を回収したいはずです。でも、万一債務者が破産してしまったら、そうもいきません。そこで、債務者の破産などによる"取りっぱぐれ"のリスクに備えて、債権をなるべく確実に回収する手段として、債権を担保する仕組みが用意されています。

1 債権の担保の種類

担保する手段には2種類あるよ!

例えば、お金の貸し借りの場合、債権者である貸主には、貸したお金が将来返ってこないというリスクがあります。そのような、返済に関する不安を取り除く手段が、債権担保制度です。

債権を担保する方法には、大きく分けると、次の2種類があります。

板書 債権の担保の種類

| 1 人的担保 | 債務者以外の者に弁済を肩代わりしてもらう方法 | 例 保証 |
| 2 物的担保 | 一定の物をお金に換えて債権の回収を図る方法 | 例 抵当権など |

2 保 証

保証人は、他人の借金の返済を
肩代わりする人だよ！

1 保証とは

保証とは、債務者以外の者を**保証人**として立てて、万一、債務が弁済され
ない場合は、その保証人が債務者に代わって返済する義務を負う仕組みで
す。

保証では、保証人の負担する債務を**保証債務**、本来の債務者のことを**主た
る債務者**、主たる債務者が負う債務を**主たる債務**といいます。

Sec.
11

債
権
の
担
保

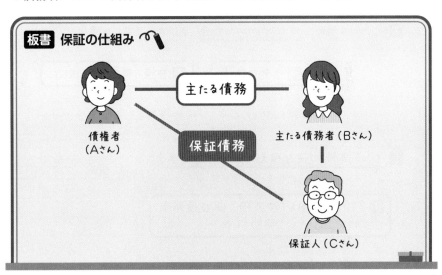

板書 保証の仕組み

主たる債務

保証債務

債権者
（Aさん）

主たる債務者（Bさん）

保証人（Cさん）

保証契約は、**債権者**Aさんと**保証人**Cさんの間で**締結**しますので、Cさん
は主たる債務者Bさんから依頼（委託）されなくても保証人になれますし、
それがBさんの**意思に反していても問題ありません**。

ただし、保証契約は慎重に行われるべきなので、**書面または電磁的記録に
よって行わなければ、効力は発生しません**。

ひとこと

　電磁的記録とは、パソコンのハードディスクなどに記録されたデ
ータのことです。

2 保証の性質

❶ 付従性
<small>ふ じゅうせい</small>

　付従性とは、保証債務が主たる債務に「付き従う」という性質のことです。つまり、両債務には主従関係があり、債務の本体はあくまで主たる債務であって、保証債務は、それを肩代わりする役目にすぎません。

　保証債務の付従性に関する内容は、次のとおりです。

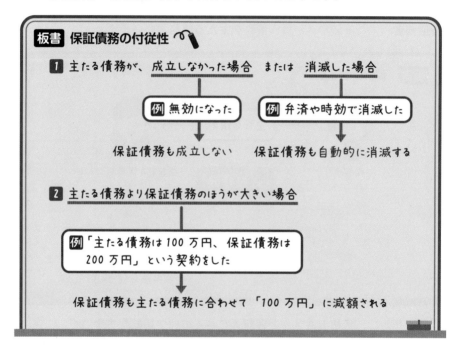

板書 保証債務の付従性

1 主たる債務が、成立しなかった場合　または　消滅した場合

　　　　例 無効になった　　　**例** 弁済や時効で消滅した

　　保証債務も成立しない　　保証債務も自動的に消滅する

2 主たる債務より保証債務のほうが大きい場合

　　例「主たる債務は 100 万円、保証債務は
　　　　200 万円」という契約をした

　　保証債務も主たる債務に合わせて「100 万円」に減額される

❷ 随伴性
すいはんせい

随伴性とは、例えば、債権者が、主たる債務者に対する債権を**第三者に譲渡**すると、保証人の保証債務もこれに**ともなって移転**する性質のことです。

❸ 補充性
ほじゅうせい

補充性とは、主たる債務が弁済されない場合に、保証人の債務が補充的に肩代わりする性質のことです。

保証人は、**催告の抗弁権**と**検索の抗弁権**という「主張」をすることができます。

板書 保証債務の補充性 🔖

1 催告の抗弁権	債権者が、いきなり保証人に弁済を請求してきた場合、保証人は、「まず主たる債務者に請求せよ」と主張できる	
2 検索の抗弁権	債権者が、主たる債務者に弁済を請求したうえで保証人にも請求してきた場合でも、保証人は「主たる債務者に弁済の資力があって、強制執行が容易にできる」ことを証明すれば、「まず主たる債務者の財産について強制執行せよ」と主張することができる	

---

3 連帯保証

連帯保証とは、主たる債務者と保証人が連帯して債務を負う保証です。

連帯保証も、保証の仕組みの1つです。したがって、ここまでの保証に関する説明が、原則として、そのままあてはまります。

ただし、次のように、普通の保証と異なる点が2つあります。

板書 連帯保証 🔖

1 連帯保証人には、催告の抗弁権・検索の抗弁権がない

⚠️つまり、債権者は、連帯保証人から先に請求することが可能です。

2 連帯保証人には、分別の利益がない
↑

⚠️同じ債務に複数の保証人がいる場合、
各保証人は、保証人の頭数で割った金額を負担すればOK！

ひとこと

連帯保証人は、債権者にいきなり弁済を請求されても、「先に債務者に請求してください」と断ることができません。

3 抵当権

不動産を担保にとる制度だよ！

1 抵当権とは

抵当権とは、特定の不動産に担保権を設定しておいて、万一債務者が債務を弁済しなかった場合は、その不動産を競売にかけ、その競売代金から**債権者が優先的に弁済を受ける**ことで債権を回収する仕組みをいいます。

ひとこと

債務者から債務の弁済を受けられないとしても、高価な財産である不動産が担保になっていれば、債権者は安心です。

抵当権において、自分の不動産に**抵当権を設定した者**を**抵当権設定者**、お金を貸す等して**抵当権の設定を受けた者**を**抵当権者**、抵当権によって**回収を確保される債権**を被担保債権といいます。

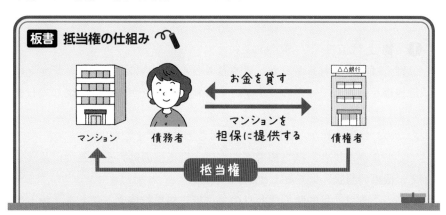

2 抵当権の特徴

抵当権の重要な特徴は、「**目的物の占有は移転しない**」ということです。つまり、債務者（抵当権設定者）が債権者（抵当権者）のために自己所有の不動産に抵当権を設定しても、それを債権者に**現実に引き渡す必要はなく**、債務者はそのまま**自由に使用**したり、**賃貸**したり、**売却**したりすることができます。

3 抵当権の目的物

抵当権の目的物にできるのは、①土地・建物などの**不動産**、②**地上権**、③**永小作権**の３つに限られます。

4 抵当権の性質

抵当権の性質には、次の4つがあります。

❶ 物上代位性

例えば、債務者Bさんが、債権者Aさんのために自分のマンションに**抵当権を設定**していたのですが、そのマンションが火事で全焼してしまいました。ところが、Bさんは、そのマンションに火災保険をかけていたため、保険会社から保険金が下りることになりました。

このような場合、抵当権者Aさんは、**抵当権の効力**を保険金に及ぼして、**債権の回収**に当てることができます。

このように、**目的物の代わりの物に抵当権を行使**することを、物上代位といいます。

❷ 不可分性

例えば、Bさんは、Aさんに対する1,000万円の債務を担保するために、自己所有の100㎡の土地に抵当権を設定しました。その後、Bさんが500万円を返済して、債権額が残り半分になった場合でも、抵当権の効力はそのまま**目的物の全体に及んだまま**、残りの債務を弁済しなければ、不動産全体を競売にかけることができる、というものです。このことを、**不可分性**といいます。

❸ 付従性

付従性とは、抵当権が、その被担保債権に「付き従う」という性質を

いいます。例えば、**被担保債権**が、時効あるいは全額の弁済によって**消滅**すれば、抵当権も自動的に消滅します。

❹ 随伴性（ずいはんせい）

例えば、抵当権者Ａさんが、被担保債権をＣさんに売却した場合、抵当権もその被担保債権にともなって、Ｃさんに移転します。この性質を、**随伴性**といいます。

4 先取特権（さきどりとっけん）

債権を優先的に
回収するための仕組みだよ!

管理組合が、例えば、区分所有者が滞納した管理費について、他の債権者に優先して回収をするためには、抵当権のような**物的担保の設定**が必要です。しかし、通常、管理組合と区分所有者との間では、将来発生するか不明な債権のために、抵当権設定の契約をすることはありません。

そのため、万一の場合に備えて、管理組合の運営に支障をきたすことのないよう、管理組合には、滞納管理費について滞納者の財産から**優先的に回収**するための手立てとして、**先取特権**という**法定の物的担保**が認められています。

ひとこと

先取特権は、公平性の確保や社会的弱者の保護のために優先的な債権回収を認める権利ですので、滞納管理費以外でも、給料債権やお葬式の費用等にも認められます。

不法行為

この Section で学ぶこと

不法行為とは、**違法な行為**をして**他人に損害を与える**ことです。例えば、自動車の居眠り運転で事故を起こして人にケガを負わせた場合や、マンション管理業者がマンションの設備を不注意で壊したような場合などです。不法行為の加害者は、被害者に対して責任を負わなければなりません。

1　不法行為とは

> 加害者は、被害者の損害を賠償しなければならないよ！

不法行為(ふほうこうい)とは、他人の**権利**や**利益**を違法に**侵害**して、**損害を与える**ことをいいます。不法行為が成立するには、原則、**加害者**に、**故意または過失**がなければなりません。

不法行為が成立した場合、**被害者**は、加害者に対して**損害賠償を請求する**ことができます。損害賠償の対象となる被害には、財産的なもののほか、ケガなどの**生命・身体**の損害や、**精神的**な損害も含まれます。

2　特殊な不法行為

> 加害者本人以外の者が責任を負うこともあるよ！

1　使用者責任(しようしゃせきにん)

例えば、マンション管理業者A（使用者）の従業員B（被用者）が、管理を受託しているマンションで清掃中に、掃除機の操作を誤って居住者Cさん

にケガを負わせました。

　Bが不法行為の責任を負わなければならないのは当然ですが、「Bを使用しているAもBと同様に責任を負う」とするのが、**使用者責任**です。

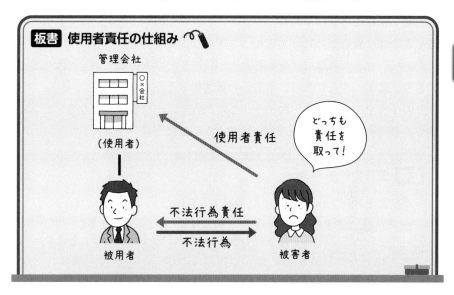

板書 使用者責任の仕組み

管理会社

○×会社

（使用者）

使用者責任

不法行為責任

不法行為

被用者

被害者

どっちも
責任を
取って！

> **ひとこと**
>
> 　被害者は、**使用者と被用者の両方**に、損害額の範囲内で**損害賠償を請求**できます。なお、**使用者**は、被害者に対して損害賠償金を支払った場合、被用者に対して求償（その返済を求めること）ができます。同様に被用者が損害賠償金を支払った場合、使用者に求償できます。

ただし、次の場合は、使用者責任は成立しません。

板書 使用者責任が成立しない場合

１ 使用者の事業の執行とは無関係に被用者が不法行為をした場合

　　例 被用者が休日にマイカーで事故を起こした！

２ 使用者が被用者の選任・監督に相当の注意をした、
　　　　　　　　　　①
　　または相当の注意をしても損害の発生を避けられなかった場合
　　　　　　　　　　　　　　　　　　　　　　　　②

　　⚠①②のどちらかを使用者が証明すれば、使用者責任を免れる！

2 工作物責任

工作物責任とは、建物やブロック塀など（「**土地の工作物**」といいます）の**設置・保存に瑕疵**（不具合）があり、それが原因で、他人に損害を引き起こした場合に負わなければならない責任のことです。

例えば、Aさんの専有部分をBさんが賃借しているのですが、配水管が破損して、階下の住人Cさんに水漏れの被害を与えた場合です。

このような、土地の工作物から生じた損害は、**占有者**（賃借人等）であるBさんと**所有者**Aさんの**両方**が、次のように責任を負います。

板書 工作物責任 🏷

1 第一次的には、占有者が責任を負う

⚠ 占有者が、損害の発生を防止するために必要な注意をしていたので、自分には落ち度がないことを証明すれば、責任を免れる

2 占有者が責任を負わない場合は、第二次的に所有者が責任を負う

⚠ 所有者は、自分に落ち度がないことを証明しても、責任を免れることができない！

⚠ 占有者が責任を負う場合は、原則として、所有者の責任は生じない

ひとこと

なお、不具合について他に責任を負うべき者（前の所有者や建設会社等）がいる場合は、占有者・所有者は、その者に対して求償することができます。

3 注文者の責任

　例えば、注文者Ａさんが請負人Ｂさんに建物の建築を依頼したところ、Ｂさんが工事中に建築資材を落として通行人Ｃさんにケガをさせました。

　もちろん、うっかり資材を落としたＢさん自身が、不法行為責任を負います。問題は、「注文者Ａさんも責任を負うのか」ですが、普通、工事のやり方は請負人に任せます。したがって、原則、注文者には責任が生じません。

　ただし、**注文者**の行った注文または指示に**過失があること**が**原因**で不法行為が起きた場合は、注文者が悪いとして、例外的に**責任を負う**ことになります。

Section

13　相　続

この Section で学ぶこと

例えば、もしマンションの住民（区分所有者）が死亡すると、死亡した人の専有部分や滞納していた管理費債務等は、誰がどのように引き継ぐことになるのでしょうか。民法は、相続すべき人やその相続分について、細かく規定しています。

1　相続とは

死亡した人の遺産を
引き継ぐことだよ！

　相続とは、ある人が死亡したときに、その人の遺産を相続する人が引き継ぐことをいいます。この死亡した本人を「**被相続人**」、遺産を引き継ぐ人を「**相続人**」といいます。

❶　遺産とは

　遺産とは、死亡した人が持っていた財産をいいます。なお、マンションや現金預金といった**プラスの遺産**だけでなく、滞納管理費や住宅ローンといった**マイナスの遺産**も、相続人は引き継ぐことになります。

❷　誰が相続人になれるのか

　配偶者は、常に相続人となります。配偶者以外の相続人には①子（**第1順位**）、②直系尊属（死亡した人の父母等：**第2順位**）、③兄弟姉妹

（第3順位）がいます。

　なお、配偶者以外の相続人（①〜③）には優劣があり、先順位の相続人がいる場合には、後順位の者は相続人とはなりません。

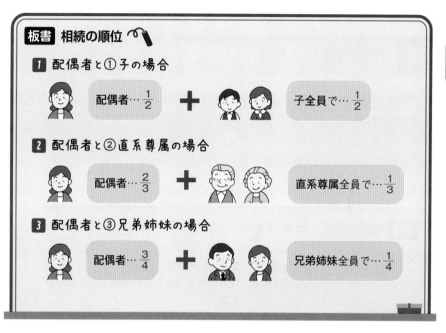

板書 **相続の順位**

1 **配偶者と①子の場合**

配偶者… $\frac{1}{2}$ ＋ 子全員で… $\frac{1}{2}$

2 **配偶者と②直系尊属の場合**

配偶者… $\frac{2}{3}$ ＋ 直系尊属全員で… $\frac{1}{3}$

3 **配偶者と③兄弟姉妹の場合**

配偶者… $\frac{3}{4}$ ＋ 兄弟姉妹全員で… $\frac{1}{4}$

2 滞納管理費等の相続

滞納管理費は、自分の相続分しか支払わなくてよいんだよ！

　遺産は、プラス・マイナスのものの両方とも、原則として、相続の時に相続人全員の共有となりますが、その例外のものとして、滞納管理費等の**金銭債務**があります。

　金銭債務は、相続の時に、**法定相続分**に応じて、**各相続人に帰属**します。したがって、管理組合は、相続人中の特定の1人に「死亡した人の滞納管理費を全額支払え」と請求することはできず、請求できるのは、**法定相続分の割合で分割された額の範囲内のみ**となります。

ひとこと

例えば、被相続人が管理費を 30 万円滞納したまま死亡し、配偶者と子が各 $\frac{1}{2}$ ずつ相続した場合、配偶者も子も、それぞれ 15 万円の滞納管理費の支払義務しか負いません。

3 相続の承認・放棄

相続をするかしないか
選択できるよ!

マイナスの遺産の方が多い場合、相続人が「相続をしたくない」と考えることが普通です。

そのような場合、相続人は、次のように、「相続をする」（**承認**）、もしくは「相続をしない」（**相続放棄**）という方法のどちらかを選択することができます。

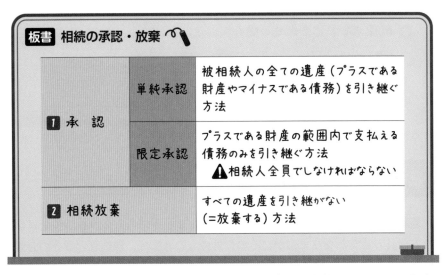

板書 相続の承認・放棄

1 承認	単純承認	被相続人の全ての遺産（プラスである財産やマイナスである債務）を引き継ぐ方法
	限定承認	プラスである財産の範囲内で支払える債務のみを引き継ぐ方法 ⚠相続人全員でしなければならない
2 相続放棄		すべての遺産を引き継がない（=放棄する）方法

ただし、相続人による**相続の承認・放棄**は、自分が相続人になったことを知った時から**3ヵ月以内**にしなければなりません。

CHAPTER3　民　法　過去問チェック！

問1　Sec.1 2

売主Aと買主Bが、マンションの一住戸甲の売買契約を締結した場合に、本件契約が、Bの詐欺により締結された場合、Aに、それを信じたことに重大な過失があったときでも、Aは、売却の意思表示を取り消すことができる。　（管 H29）

問2　Sec.2 3

Aが、自己の所有するマンションの一住戸甲をBに売却する契約の締結について、Cに代理権を授与した場合、Cの子Dは、CがAから預かった書類をA及びCに無断で持ち出し、Aの代理人と称して当該契約を締結したところ、これを知ったBが、Aに対して、追認をするかどうかを確答すべき旨の催告をしたときは、相当の期間内に確答がなかったときは、Aは追認をしたものとみなされる。　（管 R3）

問3　Sec.3 5

管理費を滞納している区分所有者が、滞納の事実を認める承認書を管理組合の管理者あてに提出したときは、管理費支払請求権の時効が更新される。　（管 H29 改）

問4　Sec.4 2

甲マンション 102 号室を所有するAは、Bとの間で、同室を代金 1,000 万円でBに売却する旨の契約を結んだ。その後、Aは、Cとの間で、同室を代金 1,200 万円でCに売却する旨の契約を結んだ。この場合、CがBよりも先にAから 102 号室の引渡しを受けた場合であっても、Bが同室の所有権の移転登記を備えたときは、Bは、Cに対し、同室の所有権を取得したことを対抗することができる。　（マ R3）

問5　Sec.5 4

甲マンションの住戸 101 号室をA、B、Cの3人が共有している場合、A、B、Cは、共有する区分所有権について5年を超えない期間内は分割をしない旨の契約をしていたときであっても、いつでも 101 号室の区分所有権の分割を請求することができる。　（管 R5）

問 6 Sec.6 **1**, Sec.9 **2**

委任とは、当事者の一方が相手方のために法律行為をすることを約し、相手方がこれに対してその報酬を支払うことを約することによって、その効力を生ずる契約である。 (管 H30)

問 7 Sec.7 **1**

買主Aと売主Bが、マンションの一住戸の売買契約を締結した場合におけるBの契約不適合責任について、AとBが売買契約締結時に目的物の欠陥の存在を契約内容としていた場合には、Bは、契約不適合責任を負わない。 (管 H29)

問 8 Sec.8 **2**

AとBとの間で、Aが所有するマンションの1住戸甲についての賃貸借契約が締結され、AはBに甲を引き渡した。この場合、Bが、Aの承諾を得ないで、甲をCに転貸した場合であっても、Bの行為についてAに対する背信行為と認めるに足りない特段の事情があるときは、Aは、Bとの間の賃貸借契約を、無断転貸を理由として解除することができない。 (管 H30)

問 9 Sec.10 **2**

管理規約に管理費の遅延損害金の定めがない場合には、管理組合は、民法所定の法定利率による遅延損害金を請求することができない。 (管 H30)

問 10 Sec.11 **2**

Aがその所有する甲マンションの301号室をBに賃貸し、CがBの賃料支払債務について連帯保証した場合、Bが賃料の支払を怠り、Aから保証債務の履行を請求されたCは、Aに対し、まずBに対して賃料支払の催告をするよう請求することはできない。 (マ R3)

問11 Sec.12 **2**

マンション丙において、区分所有者Gが所有し、現に居住している専有部分に設置又は保存に瑕疵があり、それにより他人に損害が発生した場合には、当該瑕疵が丙の建築工事を請負った施工会社Hの過失によるものであっても、Gは損害賠償責任を免れない。（管R4）

問12 Sec.13 **3**

相続人が数人あるときは、限定承認は、共同相続人の全員が共同してのみこれをすることができる。（管R元）

解答

問1 ○

問2 × 追認を拒絶したものとみなされる。

問3 ○

問4 ○

問5 × 5年を超えない期間で分割禁止の特約をしている場合、当該期間内は分割請求ができない。

問6 × 報酬の支払いは委任契約成立の要件ではない。

問7 ○

問8 ○

問9 × 遅延損害金の定めがなくても、法定利率による遅延損害金を請求することができる。

問10 ○

問11 ○

問12 ○

CHAPTER **4**
その他の法令

Sec. 1 建替え等円滑化法

Sec. 2 被災マンション法

Sec. 3 宅建業法

Sec. 4 借地借家法

Sec. 5 住宅品質確保法

Sec. 6 不動産登記法

建替え等円滑化法

重要度　マS　管B

この**Section**で学ぶこと

建替え
賛成

建替え
反対!!

老朽化したマンションでは、建替えのニーズは切実です。しかし、区分所有法だけでは、肝心の「建替えの実施」に関する規定が不十分です。そこで、建替えを確実かつスムーズに行うために、**マンションの「建替え」専門**の法律が制定されました。それが、建替え等円滑化法です。

1　建替え等円滑化法の概要

建替えと売却をするときの
ルールだよ!

1　建替え等円滑化法の目的

「マンションの建替え等の円滑化に関する法律」（**建替え等円滑化法**）の目的は、マンションの**良好な居住環境の確保**や、地震による倒壊等の被害から住民の生命・身体・財産を守ることです。

それを実現する「手段」としての**建替え**や**売却**をスムーズに行えるように、次の２つを規定しています。

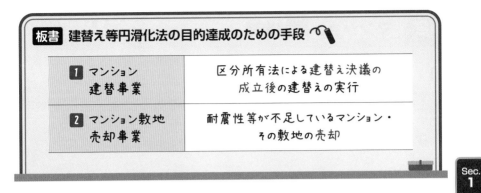

2 建替え等円滑化法が適用されるマンション

建替え等円滑化法の適用は、次の「マンション」に限定されます。

板書 建替え等円滑化法上の「マンション」の条件

1 2人以上の区分所有者が存在すること

⬆
⚠ たった1人だったら建替えはラク、建替え等円滑化法の
適用は不要!

2 居住用の専有部分があること

⬆
⚠ 建替え等円滑化法の目的が
「マンションの良好な居住環境の確保」だから!

1 施行者

まずは区分所有法上のマンション建替え決議が成立すれば、建替事業を開始することができます。

マンション建替事業には、❶組合施行と❷個人施行の2種類があります。

❶ 組合施行

マンション建替組合を設立して行う方法です。建替えに合意した者は、5人以上共同して、次の要件を満たせば、「マンション建替組合」(法人)を設立することができます。

マンション建替組合を設立するための要件は、次のとおりです。

板書 マンション建替組合の設立 🔎

1 「建替え合意者の $\frac{3}{4}$ 以上の同意」と「建替え合意者の議決権の $\frac{3}{4}$ 以上の同意」の両方が必要

⚠「管理組合の法人化」の要件と同じ!

2 都道府県知事等の認可を受けること

ひとこと

「建替え合意者」は建替えに合意した者の人数、「建替え合意者の議決権」は建替え合意者の共用部分に対する持分の割合を指します。

❷ 個人施行

個人施行の場合は、区分所有者またはその同意を得た者が、マンションとその敷地の権利者全員の同意を得たうえで、都道府県知事等の認可を受けて、1人または数人の共同で建替事業を行います。

2　権利変換手続

権利変換手続とは、建替え前に存在した区分所有権等のさまざまな権利を、建替え後に発生した権利に変換することをいいます。

要するに、建替え前に存在した区分所有者に、**建替え後のマンションの専有部分を割り当てる**ということです。

ひとこと

建替え等円滑化法では、権利変換について、専有部分の賃借人や抵当権者等に対しても行えることが、明確に規定されています。

3　マンション敷地売却事業

耐震性不足のマンションに関する制度だよ！

耐震性不足等のマンションを放置するのは危険ですので、建替え等はなるべく早く行うべきです。そこで、新たなマンションの建設を促進するために、**マンションと敷地**をディベロッパー（開発業者）等の**買受人に売却**して、そのための資金を確保することのできる「**マンション敷地売却事業**」という仕組みが設けられました。

マンション敷地売却事業は、耐震性不足等のマンションを撤去（**除却**）することを前提にしています。そのため、まず最初に、対象となるマンションに対して、市町村長または都道府県知事から「耐震性不足等のため**除却する必要がある**」という認定を受けなければなりません。

そして、マンション敷地売却事業は、**5人以上共同**して、**マンション敷地売却組合**（法人）を設立して実行することができます。

なお、マンション敷地売却組合の設立手続や事業の運営などの仕組みは、「マンション建替組合」の場合と、ほぼ同じです。

被災マンション法

重要度　マA　管C

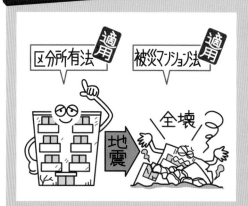

　大地震などの災害でマンションが大きな被害を受けた場合、区分所有法だけではうまく対処できません。非常事態に備えた規定は、区分所有法に定められていないからです。そこで、**災害時のマンションの再建**等に対処するための、特別な法律が用意されました。それが、**被災マンション法**です。

1　被災マンション法の目的

> 大規模災害のときだけ適用される法律だよ！

　地震等の災害によりマンションが**全部滅失**した場合は、区分所有法が適用されません。なぜなら、区分所有の対象となる建物自体が存在しない状態になるため、**区分所有権も管理組合も消滅**してしまうからです。

　また、災害により建物が**一部滅失した場合**も、区分所有法には、建物の復旧や建替えの場合に関する規定しかありませんので、建物やその敷地を売却したり、残った建物を取り壊そうとしてもうまくいきません。

　そこで、「被災区分所有建物の再建等に関する特別措置法」（被災マンション法）は、マンションが**政令で定められた大規模な火災・震災・その他の災害**（政令指定災害）で大きな被害を受けた際の対処方法について、「**全部滅失**」と「**一部滅失**」の2つのケースに分けて規定しています。

2 建物が全部滅失した場合

建物を再建するか敷地を売却するか
どちらか選べるよ！

Sec. 2
被災マンション法

1 敷地共有者等集会

　マンションが全部滅失すると、区分所有関係が消滅しますので、区分所有法上の集会を開けず、管理者もいなくなります。つまり、残されているのは、**敷地**と、それに対する**権利**だけになります。

　そのため、政令指定災害によって区分所有建物が全部滅失した場合、残された敷地を共有する者たち（**敷地共有者等**）は、被災マンション法に基づいて、集会（**敷地共有者等集会**）を開いて、管理者を置くことができます。

2 区分所有建物の再建決議

　敷地共有者等は、集会を開き、敷地共有者等の議決権の$\frac{4}{5}$以上の多数の賛成で、少なくとも従前の敷地の一部を含む土地の上に、**マンションを再建する旨の決議**をすることができます。

この場合の**議決権**は、**敷地**に対する**共有持分等**の価格の割合によります。建物が滅失しているので、建物の共用部分に対する持分割合によることは不可能だからです。

3 敷地売却決議

　敷地共有者等の集会では、敷地共有者等の議決権の$\frac{4}{5}$以上の多数の賛成で、**敷地を売却する旨の決議**をすることもできます。被災地の状況によっては、建物の再建を断念するしかない場合もあるからです。

1 被災マンション法が適用される一部滅失

　被災マンション法上の「**一部滅失**」とは、政令指定災害によって区分所有建物の**価格の$\frac{1}{2}$超**に相当する部分が滅失した場合（**大規模滅失**）をいいます。

> **ひとこと**
> 　価格の$\frac{1}{2}$「以下」の小規模滅失の場合は、被災マンション法の適用はありません。建物を取り壊したり敷地を売却するよりは、区分所有法に基づいて復旧したほうがいいからです。

2 区分所有者集会の特例

　一部滅失の場合は、区分所有建物がまだ残っているので、**管理組合や管理者も存続**しています。したがって、集会を開く場合も、区分所有法の規定に基づいて招集手続等を行うことになります。

　しかし、建物価格の「$\frac{1}{2}$超」が滅失している非常事態です。多くの区分所有者が建物から避難していますので、**集会の招集**に関する区分所有法の規定をあてはめることは、妥当ではありません。

　そこで、被災マンション法では、①原則、区分所有者の**現在の所在地**に通知する、または、②区分所有者が災害発生後に**管理者に通知を受ける場所**を届け出た場合には、**その場所に宛てて通知**すればよい、としています。

　なお、集会の招集者が、区分所有者の所在を知らず、かつ、知らないことについて過失がない場合、招集通知は、区分所有建物またはその敷地の見やすい場所に掲示して代えることができます。

3 被災マンション法による対応

　区分所有建物が**一部滅失**（大規模滅失）した場合に備えて、被災マンション法が用意している対応策は、次の３種類です。

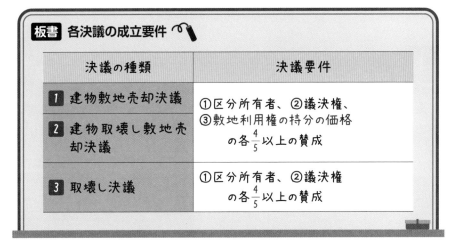

　各決議が成立するための要件は、次のとおりです。

板書 一部滅失の場合の対処方法

1 建物敷地売却決議	建物を現状（一部滅失した状態）のまま敷地と一緒に売却する
2 建物取壊し敷地売却決議	建物を取り壊して更地の状態にして敷地を売却する
3 取壊し決議	単に建物の取壊しだけを行う

板書 各決議の成立要件

決議の種類	決議要件
1 建物敷地売却決議 2 建物取壊し敷地売却決議	①区分所有者、②議決権、③敷地利用権の持分の価格の各 $\frac{4}{5}$ 以上の賛成
3 取壊し決議	①区分所有者、②議決権の各 $\frac{4}{5}$ 以上の賛成

ひとこと

　1 建物敷地売却決議と**2 建物取壊し敷地売却決議**の場合は、敷地の売却をともなうため、決議要件の中に「敷地利用権の持分の価格」が加わっています。その一方で、**3 取壊し決議**の場合は、建物を取り壊すだけで**敷地の処分は行わない**ので、「敷地利用権の持分の価格」の要件はありません。

Sec. 2

被災マンション法

Section 3 宅建業法

この Section で学ぶこと

専門知識　宅建業者

宅建業法　お客さん

　一般的に不動産の売買は、宅建業者によって行われます。物件を買いたいものの知識や経験の少ない**お客さんを保護**するために用意されている専門の法律が、**宅建業法**です。マンションの取引に際し、どうやって宅建業者に対して規制をかけ、お客さんを保護するのでしょうか。

1 重要事項の説明

買主が安心して
契約するための説明だよ！

　重要事項の説明とは、宅地や建物を取得したい人や借りたい人に対して、その**物件の内容**や**取引条件**について**重要な事柄**（「重要事項」といいます）を、売買などの**契約締結前**に説明することをいいます。

　この説明は、判断材料を提供して安心して契約してもらうために、宅地建物取引業者（**宅建業者**）が買主や借主に対して行うべき**義務**です。

1 重要事項の説明の内容

重要事項の説明は、次のように行われます。

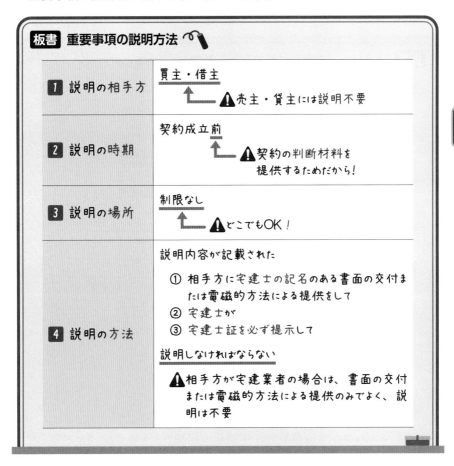

板書 重要事項の説明方法

1 説明の相手方	買主・借主 ⬆ ⚠売主・貸主には説明不要
2 説明の時期	契約成立前 ⬆ ⚠契約の判断材料を提供するためだから!
3 説明の場所	制限なし ⬆ ⚠どこでもOK!
4 説明の方法	説明内容が記載された ① 相手方に宅建士の記名のある書面の交付または電磁的方法による提供をして ② 宅建士が ③ 宅建士証を必ず提示して 説明しなければならない ⚠相手方が宅建業者の場合は、書面の交付または電磁的方法による提供のみでよく、説明は不要

ひとこと

宅建士(宅地建物取引士)とは、宅地や建物の取引に関する法律の専門知識を持つ国家資格者であり、宅建業者の事務所には一定数以上を必ず置かなければなりません。

2 マンション特有の重要事項

　説明が必要な重要事項には、宅建業法によって多くの事柄が定められています。そのうち、マンション特有のものを押さえておきましょう。

板書 マンションの売買に関する説明事項の**例**

1 敷地に関する権利の種類・内容

2 共用部分に関する規約の定め（案を含む）がある場合は、その内容

3 専有部分の用途その他の利用の<u>制限に関する規約の定め</u>（案を含む）がある場合は、その内容 ⬆
　　　　　　例 事業用としての利用の禁止・ペット飼育禁止など

4 マンションやその敷地の一部を<u>特定の者にのみ使用を許す規約の定め</u>（案を含む）がある場合は、その内容 ⬆
　　　　　　例 専用駐車場・バルコニー等の使用に関する規約

5 修繕積立金・管理費を特定の者にのみ減免する規約の定めがある場合は、その内容

6 修繕積立金に関する規約の定め（案を含む）がある場合は、その内容とすでに積み立てられている額

7 管理費の額

8 マンションの管理を委託している場合は、委託先の氏名・住所（法人のときは商号・名称と本店の所在地）

9 マンションの維持修繕の実施状況の記録がある場合は、その内容

⚠ マンションの賃貸では **3** と **8** のみが説明事項

2　契約不適合に関する担保責任の特約の制限

物件に欠陥があったら
買主は文句を言えるよ！

　宅建業法は、宅建業者が**自ら売主**となる宅地・建物の売買契約について、民法上の目的物の種類・品質等に関して、契約内容に不適合がある場合の担保責任の規定よりも**買主に不利な特約**（例えば「損害賠償請求はできるが、契約解除は不可」とする内容）を、無効としています。買主であるお客さんを保護するためです。

　ただし、民法上の規定のうち、**通知の期間**だけは、宅建業法によって例外が認められています。例えば、通知期間を「引渡しの時から2年以上」確保する内容の特約は、民法上の規定（**契約内容に不適合があることを発見してから1年以内**）より買主に不利ですが、有効とされています。

　　宅建業法の規定が「民法より買主に不利なのに有効」である理由は、引渡し後に長期間が経過してから契約内容に不適合が発見された場合、民法の規定によると、宅建業者は「発見された時点」からさらに1年以内に通知されると、責任を負わなければならず、宅建業者には酷だからです。

Sec.
3

宅建業法

Section 4 借地借家法

重要度 マ A 管 S

このSectionで学ぶこと

「モノを借りる」と一言でいっても、例えば、本を借りる場合と住む家を借りる場合とでは、その重大性に大きな差があります。そこで、**土地や建物を借りる場合**だけに絞って特別に定められた法律が、借地借家法です。

1 借地借家法と民法

"借主保護"がキーワードだよ！

1 借地借家法（しゃくちしゃっかほう）の目的

借地借家法は、**土地や建物を借りる場合のルール**を定めた法律です。もちろん、民法にも、土地・建物の賃貸借に関する規定がありますが、あえて別の法律を作った理由は、**借主の保護**にあります。

民法は、貸主と借主が対等な立場にあることを前提に定められていますが、現実には、貸主のほうが立場が強いため、借主に不利な契約になりがちです。そこで、民法の規定に従うと借主が不利になるケースについて、借地借家法によって特別にカバーしているのです。

2 借地借家法と民法の関係

同じ論点について、民法・借地借家法の両方に規定がある場合には、**借地借家法が優先的に適用**されます。貸主に比べて立場が不利である借主の保護のために借地借家法を作ったのに、民法を適用してしまったら意味がないからです。

2 借 地

土地を借りる行為すべてが
適用の対象になるわけではないよ!

1 借地権とは

借地権とは、「建物を所有するための**地上権**と土地の**賃借権**」という2つの権利をいいます。

例えば、Aさんが、Bさん所有の土地を借りて自分の家を建築しました。この場合にAさんが持っている権利のことを、**借地権**といいます。

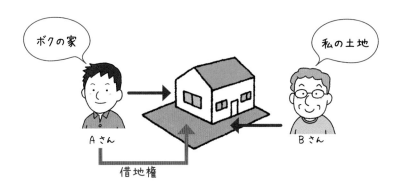

ボクの家

私の土地

Aさん

Bさん

借地権

ひとこと

例えば、Bさんから単に「材木置き場」として土地を借りる場合の権利は、建物所有のためではありませんので、借地権の生じる土地にあたらず、借地借家法の適用対象外となります。

2 借地権の存続期間

民法上は、例えば、「期間を1年」とする土地の賃貸借契約も可能です。しかし、1年では家を建てて所有するには短すぎますので、借地借家法は、借地権の存続期間を、次のように「最低30年」と定めました。

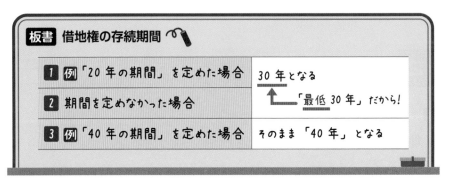

板書 借地権の存続期間

1	例「20年の期間」を定めた場合	30年となる
2	期間を定めなかった場合	↑「最低30年」だから！
3	例「40年の期間」を定めた場合	そのまま「40年」となる

3 借家

マンションの専有部分を借りるのも"借家"だよ！

1 借家権とは

借家権とは、「**建物の賃借権**」をいい、1戸建てだけでなく、マンションの専有部分の賃貸も対象となります。なお、「**居住用の建物**」に限定されませんので、店舗や事務所や倉庫でもかまいません。

2 借家権の存続期間

借家の場合、住む人は早ければ2〜3年で引っ越しますので、借地のように、契約を強制的に長期間に設定させるのは実情に合いません。そのため、存続期間は、原則、自由ですし、そもそも期間を定めなくてもかまいません。

ただし、あまりにも短すぎる契約は適当ではないため、借地借家法では、**1年未満の期間の定めは無効**となり、「**期間の定めがない契約**」として扱われます。

具体的には、次のようになります。

板書 借家権の存続期間 🔖

1 例 1年の期間を定めた場合	そのまま「1年」となる	
2 例 6ヵ月の期間を定めた場合	「期間の定めがない」と扱われる	
3 期間を定めなかった場合		

3 契約の更新

借家契約期間が満了した場合、賃貸人と賃借人が合意すれば契約が更新されるのは当然ですが、賃借人が更新を望んでいるにもかかわらず、賃貸人がそれを承諾しなければ、トラブルにつながります。

借地借家法は、**借主保護**のため、次のような自動的な更新（**法定更新**）を認めています。

❶ 期間の定めがある場合の更新

契約当事者が、期間満了の1年前から6ヵ月前までの間に、相手方に更新拒絶の通知をしなければ、**従前の契約と同一の条件**で契約が**更新**されたと扱われます。

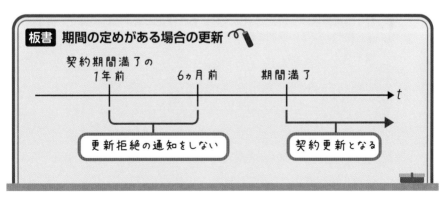

板書 期間の定めがある場合の更新 🔖

契約期間満了の
1年前　　6ヵ月前　　期間満了

→ t

更新拒絶の通知をしない　　契約更新となる

なお、賃貸人から賃借人に対して更新拒絶をする場合には、**正当事由（せいとうじゆう）が必要**です。

> **ひとこと**
>
> 単に「更新拒絶の通知さえすれば契約更新がない」ということでは、借主が保護されないからです。

❷ 契約期間を定めていない場合

契約期間を定めていない場合、契約当事者は、いつでも解約を申し入れることができます。

なお、賃貸人から解約を申し入れる場合は、正当事由が必要とされ、また、正当事由のある解約申入れをした場合でも、借主保護のため、契約が終了するのは**6ヵ月後**となります。

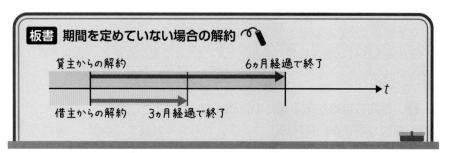

板書 期間を定めていない場合の解約

貸主からの解約　　　　　　　　　　6ヵ月経過で終了

借主からの解約　　3ヵ月経過で終了

→ t

> **ひとこと**
>
> 賃借人から解約を申し入れる場合は、**正当事由は不要**で、終了時期も、民法の原則どおり**3ヵ月後**となります。

4　借家権の対抗力

借家権の対抗力とは、例えば、AさんがBさんに自分の建物を貸す賃貸借契約を結んだ後に、その建物をCさんに売却した場合、賃借人Bさんは、第三者のCさんに対して自分の賃借権を主張できるか、という問題です。

もちろん、Bさんに賃借権の登記があれば、Cさんに賃借権を対抗できますが、法律上、貸主のAさんには、Bさんからの登記の要請に応じる義務がありません。

そこで、借地借家法は、登記がなくても建物の引渡しがあれば対抗できる、としました。つまり、賃借人Bさんが、建物の引渡しさえ受けていれば、**第三者Cさんに建物の賃借権を主張できる**、としたのです。

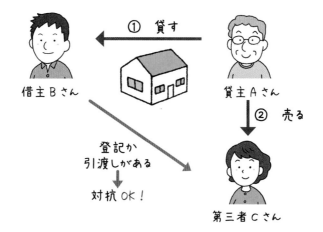

5 定期建物賃貸借

賃貸人側から行う賃貸借契約の更新の拒絶や解約の申入れには、正当事由が必要です。そのため、一度賃貸借契約を締結すると、契約を終了させることが難しく、賃貸借契約が長期化しやすいことが問題になり、賃貸人が建物を賃貸することを拒否し、賃借人に不利益が生じるということが起きていました。

そこで、賃貸借契約が**定期で終了**し、**更新がない**とする、**定期建物賃貸借**という制度が導入されました。

定期建物賃貸借の成立要件等は、次のとおりです。

板書 定期建物賃貸借の特徴 🔖

契約方法	①公正証書等の書面または電磁的記録で契約することが必要 ⚠️何らかの書面等であればOK！ ②賃貸人は、契約の締結前に、賃借人になる者に対して、 次の旨を記載した書面の交付または電磁的方法での提供により説明することが必要 ・契約の更新がないこと ・期間の満了で賃貸借契約が終了すること
契約の終了	期間の満了により終了する ⚠️「期間が1年以上」の場合、賃貸人は期間満了の1年～6ヵ月前までに「期間の満了により賃貸借が終了する」旨の通知が必要
契約の期間	上限なし ⚠️「1年未満の契約」も有効
中途解約	一定の居住用建物でやむを得ない事情により生活の本拠として使用することが困難となった場合、賃借人側からは、特約がなくても解約の申入れをすることができる

6　借賃の増減額請求

　建物の借賃が、租税その他の負担の増減や建物の価格の上昇・低下その他の経済事情の変動等により、または近傍の同じような建物の借賃に比較して不相当となったときは、契約の条件にかかわらず、当事者は、**将来に向かって建物の借賃の額の増減を請求する**ことができます。

　なお、増額をしない旨の特約をすることもできますが、その一方で、減額をしない旨の特約は、借主を保護するために、原則、無効となります。

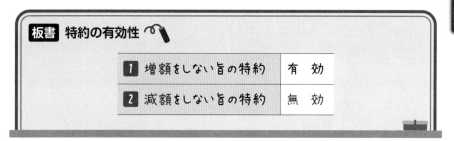

ひとこと

　「将来に向かって」とは、過去にすでに支払っている賃料については、増・減額は行わず、効果が生じた時から後の賃料だけを増・減額の対象としていることを示しています。

7　造作買取請求権

　借地借家法上、賃借人が**賃貸人の同意**を得て建物に付加した造作（畳・建具等）については、建物賃貸借契約が①**期間の満了**または②**解約の申入れ**によって終了する際に、賃借人は賃貸人に対して造作を買い取るよう請求できます（造作買取請求権）。

　ただし、造作買取請求権は**特約で排除**することが認められています。

この **Section** で学ぶこと

　一般的に、住宅の購入は人生を左右するほどの大きな買い物です。それなのに、せっかくのマイホームが実は欠陥住宅だった！　なんて、悲しすぎます。そのように、購入した住宅に**万一欠陥があった場合**に備えて、買主を手厚く保護するために作られた法律が、品確法です。

1　瑕疵担保責任の特例

瑕疵担保責任を長期間追及できるよ！

　住宅品質確保法（住宅の品質確保の促進等に関する法律、以下「**品確法**」）は、**新築住宅**（マンションを含む）に瑕疵（種類・品質に関して契約内容に不適合が生じている状態）が見つかった場合、民法や宅建業法に定められた売主の瑕疵担保責任の内容を一歩進めて、さらに**買主を手厚く保護**するための特例を定めています。なお、新築住宅とは建築工事の完了日から１年を経過しておらず、かつ人の居住の用に供したことのないものをいいます。

ひとこと

　　民法や宅建業法の瑕疵担保責任に関する規定は、新築だけでなく、中古物件や住宅以外の物件にも適用されますが、品確法の規定は、「新築住宅」に限って適用されます。

品確法上の瑕疵担保責任の特例の内容は、次のとおりです。

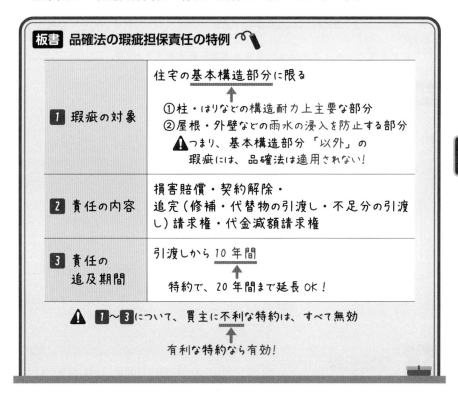

板書 品確法の瑕疵担保責任の特例

① 瑕疵の対象	住宅の基本構造部分に限る ①柱・はりなどの構造耐力上主要な部分 ②屋根・外壁などの雨水の浸入を防止する部分 ⚠ つまり、基本構造部分「以外」の瑕疵には、品確法は適用されない！
② 責任の内容	損害賠償・契約解除・追完(修補・代替物の引渡し・不足分の引渡し)請求権・代金減額請求権
③ 責任の追及期間	引渡しから 10 年間 特約で、20 年間まで延長 OK！

⚠ ①〜③について、買主に不利な特約は、すべて無効

有利な特約なら有効！

2 住宅性能表示制度

住宅の性能を保証する制度だよ！

住宅性能表示制度とは、建物の強度や火災時の安全性・省エネ性などの**住宅の性能**を、国土交通大臣が定めた基準に照らして「**快適性**や**安全性**」について**客観的に評価**し、適合している旨の表示をすることで、良質な住宅を安心して取得できる市場を形成するための制度です。

ひとこと

住宅性能表示制度の利用には費用や時間がかかりますので、強制ではなく任意であり、住宅取得者・住宅供給業者の選択に任されます。

Section 6　不動産登記法

重要度　マ S　管 B

このSectionで学ぶこと

登記とは、簡単にいうと、権利を「目に見える」ようにするための仕組みです。不動産取引をする際、誰のものなのか、抵当権が設定されているのかなど、外からはわかりませんが、それが明らかでないと不安ですよね。そこで、**権利の存在を確認するための手段**として、登記制度が設けられました。

1　登記記録

取引単位で
登記記録が作られるよ！

1　登記記録の作成

不動産登記は、登記官が、登記記録を登録するための帳簿（**登記簿**）に登記事項を記録・作成することで行われます。

登記記録は、原則、1筆の土地・1個の建物ごとに、電磁的方法によって作成されます。

ひとこと

1筆の土地（区分された1単位の土地のこと）や1個の建物単位で、それぞれ独立して取引が行われますので、登記記録も**別々に**作成します。

2 登記記録の登記事項

　登記記録は、**1**表題部と**2**権利部に区分して作成されます。そして、**権利部**は、さらに甲区と乙区に区分され、それぞれ次の事項が記録されます。

板書 登記記録の登記事項 🖍

		表示に関する事項
1 表題部		①土地の場合…所在地・地目・地積等 ②建物の場合…所在地・種類・構造・ 床面積等
2 権利部	甲区	所有権に関する事項 （所有権の仮登記・差押え登記・買戻登記等）
	乙区	所有権以外の権利（抵当権・地上権など）に関する事項

ひとこと

　地目とは「田・畑・宅地・山林」など、その「土地の用途」のことで、地積とは「土地の面積」のこと、種類とは「住宅や店舗」など「建物の用途」のことです。

2 区分建物の登記

1 登記記録の構成

マンションなどの区分建物は、専有部分単位で区分されたうえで所有されますので、当然、登記記録も専有部分ごとに作成されます。

しかし、もし「表題部」に記録されている内容が、その専有部分に関するものだけだとしたら、登記を見ても、マンション全体の構造や、共用部分の権利関係などはわかりません。

それらを明らかにするために、**区分建物の登記記録の表題部**には、①**一棟の建物全体の表題部**と②**当該専有部分の表題部**の両方が設けられています。

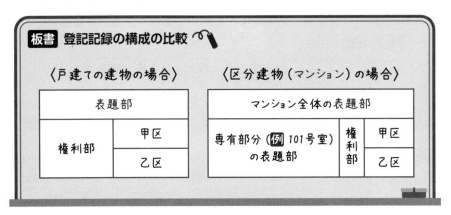

板書 登記記録の構成の比較

〈戸建ての建物の場合〉

表題部	
権利部	甲区
	乙区

〈区分建物（マンション）の場合〉

マンション全体の表題部		
専有部分（**例**101号室）の表題部	権利部	甲区
		乙区

2 表題登記の申請

区分建物の表題部の登記（**表示の登記**）は、**一棟の建物全体**について、**一括して申請**しなければなりません。なぜなら、専有部分を購入した居住者が、各自バラバラに表示の登記を申請したら、登記がなかなか揃わないおそれがあるからです。

具体的には、マンションを建てて最初の所有者になった分譲業者など（**原始取得者**といいます）が、全部まとめて申請します。

CHAPTER4 その他の法令 過去問チェック！

問1 Sec.1 **2**

建替え合意者は、5人以上共同して、定款及び事業計画を定め、都道府県知事（市の区域内にあっては、当該市の長。）の認可を受けてマンション建替組合を設立することができる。　　　　　　　　　　　　　　　　　　　　　　　　　　（🔽 R5)

問2 Sec.2 **2**

大規模な火災、震災その他の災害で政令で定めるものにより区分所有建物の全部が滅失した場合、敷地共有者等が開く集会においては、敷地共有者等の議決権の5分の4以上の多数によって、再建決議をすることができる。　　　　　　　　（🔽 R5)

問3 Sec.3 **1**

宅地建物取引業者Aが、自ら売主として、宅地建物取引業者ではないBを買主として、マンションの住戸の売買を行う場合、Aは、Bに対して、当該マンションの計画的な維持修繕のための費用の積立てを行う旨の規約の定めがあるときは、その規約の内容について説明すれば足りる。　　　　　　　　　　　　　　　（🏢 R2)

問4 Sec.4 **3**

区分所有者Aが、自己の所有するマンションの専有部分をBに賃貸する契約において、BがAの同意を得て建物に付加した造作であっても、賃貸借契約の終了に際して、造作買取請求はできない特約は無効である。　　　　　　　　　　　（🏢 R3)

問5 Sec.4 **3**

Aが所有するマンションの一住戸について、自らを貸主とし、借主Bと、期間を5年とする定期建物賃貸借契約を締結しようとする場合、本件契約の目的が、事業用のものであるか否かにかかわらず、公正証書による等の書面または電磁的記録によりしなければならない。　　　　　　　　　　　　　　　　　　　　　（🏢 R 元改）

問6 Sec.5 ①

新築住宅とは、新たに建設された住宅で、かつ、まだ人の居住の用に供したことのないもので、建設工事完了の日から1年を経過していないものをいう。　　（✓令和元）

問7 Sec.6 ①

登記記録は、表題部と権利部に区分して作成され、権利部は甲区と乙区に区分され、所有権移転の仮登記は乙区に記録される。　　　　　　　　　　　　（管 H28）

解答

問1 ○

問2 ○

問3 ✕　「既に積み立てられている額」についても説明しなければならない。

問4 ✕　造作買取請求権は特約で排除することができる。

問5 ○

問6 ○

問7 ✕　登記記録は、①表題部と②権利部に区分され、②権利部は、所有権に関する登記が記録される甲区と、所有権「以外」の権利に関する登記が記録される乙区に区分される。所有権移転の仮登記は甲区に記録される。

CHAPTER **5**

実務・会計

Sec. 1 滞納管理費等に対する措置

Sec. 2 標準管理委託契約書

Sec. 3 会計・税務

Section 1

滞納管理費等に対する措置

重要度  マ A 管 S

マンションで、区分所有者による管理費等の**滞納**が起きると、**管理費用や修繕積立金が不足**して、マンションの管理や将来の大規模修繕工事に支障が生じてしまいます。管理組合は、管理費等の滞納に備えて、対策をしっかり立てておかなければなりません。

1 管理費等の滞納の処理

きちんと手順を踏んで
支払いを促そう!

　マンションの住民による**管理費等の滞納**が起きたとしても、いきなり訴訟などの法的な手段に訴えるべきではありません。口座への入金をうっかり忘れているだけかもしれませんので、法的手段をとる前に、支払を督促するだけで解決する場合もあるからです。

そのため、支払いの督促の際は、一般的に次のような手順を踏むことになります。

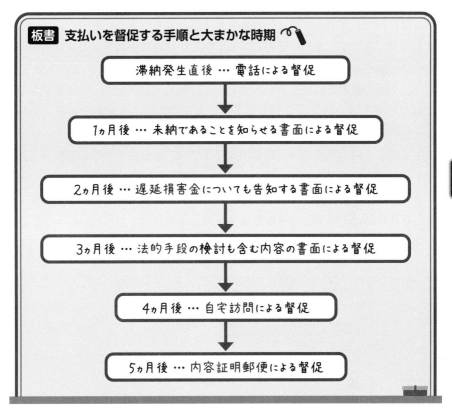

　督促をしても滞納している管理費等を支払ってもらえないときは、法的手段をとることになります。その際、まず検討すべきは**少額訴訟**です。

　少額訴訟とは、少額の金銭（**60万円以下**）の支払を求める訴えについて、原則、**1回の審理**で判決を言い渡すもので、原告（管理組合）が簡易裁判所に対して少額訴訟によって訴えることを希望し、相手方である被告（滞納者）がそれに異議を述べない場合に認められます。

　少額訴訟手続の審理では、最初の期日までに、自分のすべての言い分と証拠を、裁判所に提出しなければなりません。

　そして、当事者が判決を受け取った日の翌日から**2週間以内**に**異議申立て**をしなければ、その判決は**確定**します。原告と被告は、万一判決に不服がある場合には、少額訴訟判決を受けた簡易裁判所に対して、異議申立てをすることができますが、地方裁判所への控訴はできません。

3 支払督促

支払督促は
滞納額が 60 万円超でも OK だよ!

支払督促とは、債権者（マンションの場合でいえば、管理組合）の申立てによって、裁判所が債務者（管理費の滞納者）に対して督促状を送付し、督促を受けた債務者が一定期間内に異議申立てをしないときは強制力が生じる訴訟手続をいいます。通常の訴訟に比べて、**簡易・迅速**かつ**低コスト**で処理できるというメリットがあります。

支払督促手続の内容は、次のとおりです。

板書 支払督促手続の主な内容

1 請求金額の大小にかかわらず、一律、簡易裁判所の管轄となる

2 債務者を事情聴取することなく、書面のやりとりだけで手続が進む

3 債務者が、支払督促の送達日から2週間以内に督促異議の申立てをすれば、支払督促は失効し、通常の訴訟手続に移行する

⚠ 債務者が異議を申し立てないまま手続が進行すると、督促手続は終了し、その支払督促は、確定判決と同一の効力を持つことになる

Section 2　標準管理委託契約書

重要度　マ B　管 S

この Section で学ぶこと

管理委託契約書

ヨロシク！

管理業者

マンション管理のすべてを管理組合が自力でやるには、なかなか無理がありますので、多くのマンションでは、マンション管理業者に**管理業務を委託**しています。その委託契約を適正な内容にするために、国土交通省が示した標準的な「**ひな型**」が、**標準管理委託契約書**です。

1　標準管理委託契約書の意義

これと同じ内容の契約にする義務はないよ！

標準管理委託契約書は、マンション管理業者が「**住居専用の単棟型**マンション」の管理事務を受託する際の**標準的な契約内容**を定めたものです（したがって「**団地**」や複合型は**対象外**です）。つまり、管理組合が管理業者と管理委託契約を締結するときの"参考"ですので、「このとおりの内容で契約すべき」という法的な義務はありません。そのため、実際の契約書作成の際には、個々のマンションの状況や必要性に応じて、内容の追加や修正などを行いながら活用されます。

2　管理事務

委託する事務の内容は4つに分類されるよ！

管理組合が管理業者に委託する管理事務は、次の4つに分類されます。

板書　「管理事務」の4つの分類 ✎

1 事務管理業務	(1)　基幹事務 　①　管理組合の会計の収入・支出の調定 　②　管理組合の出納 　③　マンションの維持・修繕に関する企画・ 　　実施の調整
	(2)　基幹事務以外の事務管理業務 　例　理事会支援・総会支援業務等
2 管理員業務	受付等・点検・立会・報告連絡業務
3 清掃業務	日常清掃・定期清掃業務
4 建物・設備管理業務	建物点検・検査、エレベーター設備・ 給排水設備・浄化槽等の管理業務

　管理業者は受託した上記の**管理事務**のうち、**1**は、その**一部**、**2〜4**については、その**全部もしくは一部**を、第三者に再委託することが認められています。

　そして、**1**は、管理業者にとって**最も重要な業務**ですので、他の業者等に**一括して再委託**することは**認められません**。

板書　管理業務の再委託の可否 ✎

1 事務管理業務	一部の再委託のみ可 ⚠全部の再委託はNG！
2〜4の「事務管理業務以外」の業務	全部の再委託も可

1 委託業務費

　管理組合は、マンションの管理を管理業者に委託する場合は、**委託業務費**
等の費用を支払わなければなりません。

　この費用には、次の2種類があります。

板書 委託業務の費用の分類

1 定額委託業務費	定額で、かつ、実施内容によって価格に変更が生じる場合がないため、精算が不要な費用のこと	**例**	事務管理業務費、管理員業務費、清掃業務費、建物・設備管理業務費等
2 上記1以外の費用	実施内容によって額に変動が生じる場合があるため、各業務の終了後に精算を行う必要がある費用のこと		業務の一部が専有部分内で行われる排水管の清掃業務、消防用設備等の保守点検業務等

---

2 管理事務の実施に必要な水道光熱費

　管理会社が**管理事務の実施**に必要となる水道光熱費（**例** 清掃や点検時に
使用する水道や電源の費用）は、**管理組合**が**負担**します。

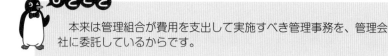

ひとこと

　　本来は管理組合が費用を支出して実施すべき管理事務を、管理会
社に委託しているからです。

3 管理事務室等の使用

　管理組合は、管理事務のために必要となる管理事務室等について、管理会社に無償で使用させるとしています。また、**管理事務室等の使用**に係る費用（水道光熱費等）については、管理組合または管理会社のどちらの負担とするか、契約の際に定めます。

ひとこと

　「費用」には、管理事務室の冷暖房費や備品等が該当します。

4　管理業者の義務　　　管理業者の業務の範囲が決められているよ!

1 緊急時の業務

　管理業者は、一定の災害や事故等の場合で、緊急に行う必要があって管理組合の承認を受ける時間がない業務については、管理組合の**承認なしで実施**できます。この場合、管理業者は、**速やかに**、**書面で**、その業務の内容やその実施にかかった費用の額を、管理組合に通知しなければなりません。

2 管理費等滞納者に対する督促

　管理業者が管理費等の滞納者に対して行う督促は、電話・自宅訪問・督促状の送付までです。その後の**法的手続による請求**等は、原則、**管理組合**が行います。

ひとこと

　管理業者が督促したにもかかわらず、滞納者が支払わない場合には、それ以後、**管理業者は責任を負う必要はありません。**

3 有害行為の中止要求

　管理業者は、管理事務を行うため必要な場合は、管理組合の組合員や占有者に対し、管理組合に代わって、違法行為や建物の保存に有害な行為などの中止を求めることができます。

　　管理業者が中止を求めても、組合員や占有者がその行為を中止しない場合は、それ以後、管理業者は責任を負う必要はありません。

4 通知義務

　管理組合および管理業者は、相互に、マンションの滅失・き損・瑕疵等の事実を知った場合は、**速やかに**その状況を相手方に通知しなければなりません。また、管理組合の役員や組合員が変更したときや管理業者が商号・住所を変更したとき等の場合には、管理組合および管理業者は、**速やかに**、**書面**によって相手方に通知しなければなりません。

5 管理規約等の提供等

　宅建業者がマンションの売買等の仲介をする場合、マンションの管理規約の内容等を、**重要事項**として説明しなければなりません。そのため、宅建業者が管理組合に対して、**管理規約等の提供**を求めることがあります。この管理規約等の提供については、マンション管理業者が、**管理組合に代わって行**うとされています。

　　管理規約以外に、管理費等の滞納状況や、共用部分の修繕の実施状況等の情報についても提供します。

5 契約の解除等

契約途中でも
解約OK！

1 契約の解除

管理組合および管理業者は、相手方が管理委託契約の内容の履行を怠った場合は、**相当の期間**を定めてその履行を**催告**し、相手方がその期間内に義務を履行しないときは、契約解除ができます。なお、この場合、相互に相手方に対し、損害賠償も請求できます。

また、**管理組合**は、管理業者が破産・解散した場合や、マンション管理業の登録の取消処分を受けたときは、**催告不要**で**契約解除**できます。

2 解約の申入れ

相手方による債務不履行等の解除の事由がない場合でも、管理組合または管理業者は、相互に相手方に対して、**3ヵ月前**に**書面**で解約の申入れをすれば、契約を終了させることができます。

3 契約の更新

管理組合および管理業者は、契約更新の場合、有効期間の満了日の**3ヵ月前**までに、相手方に対して、**書面**で申出をする必要があります。

なお、更新の申出があったにもかかわらず、有効期間の満了日までに更新に関する協議が調う見込みがないときは、管理組合および管理業者は、従前の契約と同一の条件で、期間を定めて暫定契約を締結することができます。

Section 3　会計・税務

このSectionで学ぶこと

・管理委託費
・修繕工事費
・清掃費

マンションの管理を考えるとき、**お金の問題**は避けては通れません。管理組合の会計や税務処理が適切に行われていないと、マンションの管理にも当然支障が出ます。したがって、管理組合をスムーズに運営するには、**会計や税務について知識をしっかり持つこと**が大切です。

1　管理組合会計の考え方

守るべき会計原則を
確認しよう！

　管理組合の会計は、その年の事業計画に基づいて予算を作成し、その予算と最終的な決算との差異を分析して、「予算が適切に執行されているか」「事業計画にマッチしているか」を判断することで行われます。そして、会計処理に際して**守るべきルール**が、**発生主義の原則**です。

　発生主義の原則とは、「すべての**費用と収益**は、その支出・収入に基づいて計上し、その発生した期間に正しく割り当てられるように処理しなければならない」という考え方をいいます。

ひとこと

　例えば、4月分の管理費を3月に徴収した場合、3月時点では「管理費収入」としてではなく、**次の会計年度に受け取るべきお金を今期受け取ったという「前受金」として計上すべき**とされます。

2 仕訳

管理組合会計は**複式簿記**で経理されますが、複式簿記において、各取引を左右（「**借方**」と「**貸方**」）に分解して、**適切な勘定科目**（金額の内容を示す名称）**と金額を確定**することを、仕訳といいます。

ひとこと

例えば、「机を現金1万円で購入」した場合、「机を購入したこと（資産の増加）」と同時に「現金1万円が減ったこと（資産の減少）」も起きています。この2つをどちらも記録することから、「複式」簿記といいます。

まずは簡単に、次の「簿記の知識」を押さえておきましょう。

板書 仕訳のポイント

1 左側を「借方」、右側を「貸方」という

⚠ それぞれに記載すべき内容は、「借」「貸」という文字の持つ意味とは一致しないので、左側と右側という位置で覚えよう!

2 左側と右側の金額の合計は、常に「同じ」

3 資産の増加は左側、負債の増加は右側に記載する

⚠ その裏返しで、「負債の減少」は左側、「資産の減少」は右側に記載する

ひとこと

つまり、「**財産を増やすもの**」（資産の増加・負債の減少）は左側、「**財産を減らすもの**」（資産の減少・負債の増加）は右側と覚えればOKです。

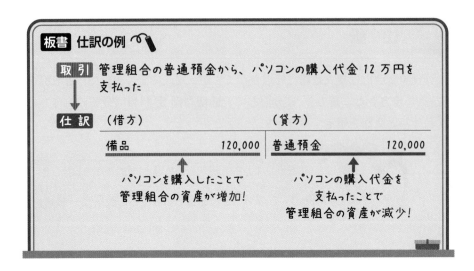

板書 仕訳の例 🖍

取引 管理組合の普通預金から、パソコンの購入代金 12 万円を支払った

↓

仕 訳 （借方）　　　　　　　　　　　　　（貸方）

備品　　　　　　120,000 ┃ 普通預金　　　　　120,000

パソコンを購入したことで　　　　パソコンの購入代金を
管理組合の資産が増加！　　　　　　支払ったことで
　　　　　　　　　　　　　　　管理組合の資産が減少！

　仕訳を記入する際には、「**資産**」「**負債**」が増減する理由を表す“**名目**”である勘定科目を記載しますが、主なものは次のとおりです。

板書 主な勘定科目 🖍

資産科目	現金・普通預金・備品（什器）・ 未収入金（**例** 未入金の管理費等）・前払金
負債科目	未払金・前受金・預り金

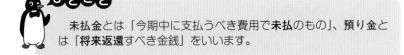

ひとこと

　未払金とは「今期中に支払うべき費用で**未払**のもの」、預り金とは「**将来返還**すべき金銭」をいいます。

3　税　務

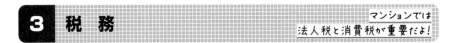

マンションでは
法人税と消費税が重要だよ！

1　法人税

　法人税法上、マンションの**管理組合**は、法人格の有無にかかわらず「**収益**

事業から生じた所得についてのみ**課税される**」という扱いを受けます。例えば、組合員から徴収する駐車場使用料は収益事業には該当しませんが、**組合員以外の外部の者から徴収する使用料は、収益事業に該当します。**

2 消費税

消費税の納税義務者は、事業者（法人または個人事業者）ですが、管理組合は、法人格の有無にかかわらず、**法人と扱われて、納税義務者となります。**

ただし、消費税の課税対象になる売上（**課税売上高**）の金額が少ない場合は、消費税の納税義務が免除されます。具体的には、前々年度の課税売上高が **1,000 万円以下**で、前年度の事業年度開始以後の **6 ヵ月間**の課税売上高が **1,000 万円以下**の場合には、消費税の**納税義務が**、原則、**免除**されます。

管理組合の収入と消費税の課税の有無の関係は、次のようになります。

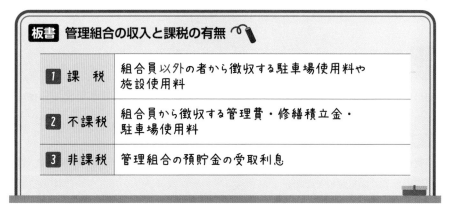

板書 管理組合の収入と課税の有無

1 課　税	組合員以外の者から徴収する駐車場使用料や施設使用料
2 不課税	組合員から徴収する管理費・修繕積立金・駐車場使用料
3 非課税	管理組合の預貯金の受取利息

ひとこと

例えば、管理費の徴収は、営業活動によるものではないので「**不**」**課税**です。受取利息などは、本来は課税されますが、国の政策的見地から、**課税対象外**（「**非**」**課税**）となります。

問1 Sec.1 **2**

管理組合Aが、区分所有者Bに対して滞納管理費の支払を請求するために民事訴訟法上の「少額訴訟」を利用する場合、A又はBが、当該少額訴訟の終局判決に対して不服があるときは、管轄の地方裁判所に控訴することができる。 （管R4）

問2 Sec.2 **3**

標準管理委託契約書において、管理事務室は、管理組合がマンション管理業者に管理事務を行わせるため、有償で使用させるものとしている。 （管R4）

問3 Sec.2 **5**

標準管理委託契約書では、管理組合又は管理業者は、その相手方に対し、少なくとも3月前に書面又は口頭で解約の申入れを行うことにより、管理委託契約を終了させることができるとしている。 （管R5）

問4 Sec.3 **3**

法人税法上、管理組合がマンション敷地内で行う駐車場業は、組合員以外の第三者が利用する場合であっても非収益事業となるため、課税されない。 （管H27）

問5 Sec.3 **3**

消費税法上、管理組合が、組合員との駐車場使用契約に基づき収受した使用料は、課税取引として課税対象となる。 （管H29）

解答

問1 ✕ 少額訴訟では控訴をすることができない。

問2 ✕ 無償で使用させるものとしている。

問3 ✕ 口頭での解約申入れは認められていない。

問4 ✕ 管理組合がマンション敷地内で行う駐車場業について、組合員以外の第三者が利用する場合は、収益事業となり、法人税が課税される。

問5 ✕ 組合員からの駐車場使用料は、課税対象とならない。

CHAPTER **6**
建築・設備

Sec. 1　マンションの建築・設備

Sec. 2　マンションの建築等に関する法規制

Sec. 3　マンションの維持保全

マンションの建築・設備

重要度 マA 管A

マンションの建物自体や各種の設備をきちんと整備して安全な状態に保つことは、快適な生活を送るためにとても重要です。**マンションの維持管理**を適切に行うためには、建築や設備に関する**専門的な知識**が不可欠ですが、それらはどのようなものでしょうか。

1　マンションの構造等

骨組みに使う材料で
建物の構造が分類されるよ!

1　材料による分類

　建物の**主要な部分である骨組み**に用いる材料によって、マンションの構造は、おおむね次の4つに分類されます。

板書 マンションの構造

種類	材料	特徴
1 鉄骨構造（S造）	骨組み部分に鋼材を用いて組み立てた構造	・耐力壁が不要で、間取りの自由度が高い ・鉄骨がアルカリ性のコンクリートで覆われていないため、耐火被覆と防錆処理が必要

2 鉄筋コンクリート構造 （RC造）	柱や梁などに鉄筋コンクリート（コンクリートの中に鉄筋を入れたもの）を使用した構造	・鉄筋をコンクリートで覆うことで防錆できる ・多くのマンションで採用されている
3 鉄骨鉄筋コンクリート構造 （SRC造）	鉄骨造の骨組みの周りに鉄筋を組み、さらにその外側に型枠を作ってコンクリートを流し込む構造	・鉄筋コンクリート構造より耐震性に優れる ・高層マンションに多く採用される
4 鋼管コンクリート構造 （CFT造）	鋼管内部にコンクリートを充填した「鋼管コンクリート柱」と鉄骨造の「梁」から成る構造	・柱と柱の距離を大きく取って空間をより広く高く利用できる ・低層建物から超高層建物まで広範囲に利用できる

Sec.
1

マンションの建築・設備

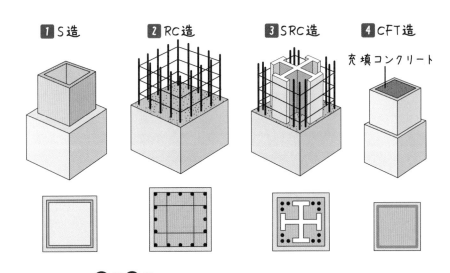

1 S造　　2 RC造　　3 SRC造　　4 CFT造

充填コンクリート

ひとこと

梁（はり）とは、柱を固定して建物の上部の重みを支えるため、**柱の上に水平に架け渡す建築部材**をいいます。

2 耐震の形式による分類

種　類	定　義
1 耐震構造	建物の剛性（建物の変形のしにくさ）を高めて地震力に耐えるよう設計された構造形式
2 免震構造	建物の基礎と上部構造の間に、積層ゴムや摩擦係数の小さい滑り支承を設けた免震装置を設置して、地震力に対して建物がゆっくりと水平移動し、建物の変形を少なくする構造形式
3 制振（震）構造	建物の骨組み等に制振装置（ダンパー）を設けて地震のエネルギーを吸収することにより、建物が負担する地震力を低減し、破壊されにくくする構造形式

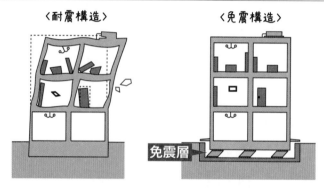

〈耐震構造〉　　　〈免震構造〉

免震層

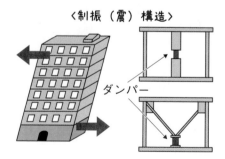

〈制振（震）構造〉

ダンパー

2 エレベーター設備

> エレベーターのことを
> 「昇降機」ともいうよ！

1 エレベーターの駆動方式

エレベーターには、次の2つの駆動方式（くどうほうしき）があります。

板書 エレベーターの駆動方式

1 ロープ式	①エレベーターシャフト（昇降路）上部に機械室を設け、ワイヤーでかごを吊して駆動する方式 ②近年は、機械室をなくし、エレベーターシャフト内に必要な機器を設置する「マシンルームレス型エレベーター」が主流	
2 油圧式	エレベーターシャフト下部に機械室を設け、パワーユニットで油を油圧ジャッキに注入してかごを昇降させる方式	

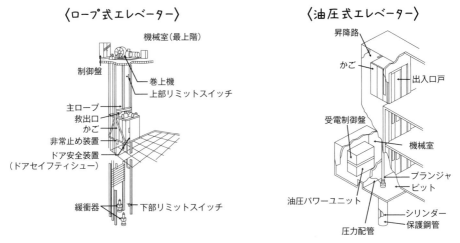

〈ロープ式エレベーター〉

機械室（最上階）
制御盤
巻上機
上部リミットスイッチ
主ロープ
救出口
かご
非常止め装置
ドア安全装置
（ドアセイフティシュー）
緩衝器
下部リミットスイッチ

〈油圧式エレベーター〉

昇降路
かご
出入口戸
受電制御盤
機械室
プランジャ
ピット
油圧パワーユニット
シリンダー
保護鋼管
圧力配管

　乗用エレベーターは、**用途・積載量・最大定員**（重力加速度を 9.8 m／s² と、1人当たりの体重を 65kg として計算した定員）**を明示した標識**をかご内の見やすい場所に掲示しなければなりません。

2 エレベーターの保守契約

エレベーターを快適かつ安全に使い続けるには、メーカーやメンテナンス会社等と保守契約を締結し、定期的なチェックを受ける必要があります。この保守契約には、「フルメンテナンス契約」と「POG契約」の2種類があります。

板書 保守契約の種類 ✏️

保守契約の種類	内容・特徴
1 フルメンテナンス契約	①エレベーターの定期点検・調整・修理・部品の取替えを状況に合わせて行う契約 ②カバー範囲が広いが、保守契約額はPOG契約よりも割高
2 POG契約	①消耗部品付き契約 ②カバー範囲が狭いが、保守契約額はフルメンテナンス契約よりも割安 ③定期点検・管理仕様範囲内の消耗品の交換や法定点検は含まれるが、それ以外の部品の取替え等は、原則含まれず、別途の費用計上が必要

3 マンションの給水設備

給水設備とは、水道事業者によって水道施設から供給される水を上水道からマンション内に引き込んで、マンションの各住戸に必要な量を適切な圧力で供給する仕組みをいいます。

給水方式の種類は、次のとおりです。

板書 給水方式の種類 🖊

種　類	仕組み	対　象
直結方式 （水道本管から水を直接マンション内に引き込む方式）	**1 直結直圧方式** 各住戸に直接給水する	2〜3階程度の小規模マンション
	2 直結増圧方式 引き込んだ水を増圧給水ポンプを経て、各住戸に直接給水する	10階建て程度の中高層マンション
給水タンク方式 （水道本管から引き込んだ水をいったん受水槽に貯める方式）	**3 高置水槽方式** 受水槽に貯水後、揚水ポンプで高置水槽（屋上などに設置した水槽）に揚水して、重力により各住戸に給水する	中・大規模のマンション
	4 圧力タンク方式 受水槽に貯水後、加圧ポンプで圧力タンクに給水し、タンク内の空気を圧縮加圧し、その圧力で各住戸に給水する	小規模のマンション
	5 ポンプ直送方式 受水槽に貯水後、ポンプで直接加圧した水を各住戸に給水する	中・大規模のマンション

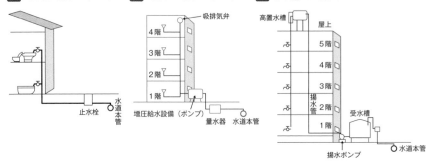

1 直結直圧方式　2 直結増圧方式　3 高置水槽方式

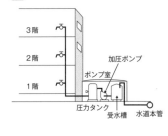

4 圧力タンク方式

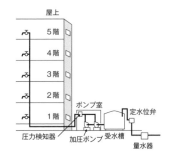

5 ポンプ直送方式

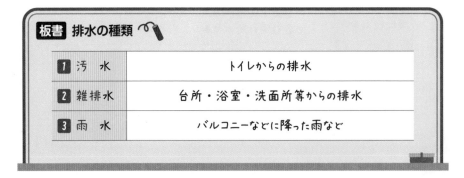

4　マンションの排水設備

> 汚れた水を
> 排出するための設備だよ！

1　排水の種類

一般的なマンションでの**排水**の種類は、次の3つです。

板書 排水の種類

1 汚　水	トイレからの排水
2 雑排水	台所・浴室・洗面所等からの排水
3 雨　水	バルコニーなどに降った雨など

マンションの**排水方式**には、合流式と、分流式の２つがあり、それぞれマンションの敷地の「内」と「外」で、**排水の種類の組合せ**が異なります。

敷地「内」では、雨水は合流式でも分流式でも別系統になり、他の排水とは合流しません。合流式は汚水（トイレからの排水）と雑排水（キッチンや風呂からの排水）を合流させます。

分流式は、汚水・雑排水・雨水のすべてが別系統となります。敷地「外」では、汚水と雑排水に加え雨水も合流させるのを合流式、雨水を別系統にするのを分流式といいます。

板書 排水方式 🔦

排水方式	敷地内			敷地外		
合流式	汚水 + 雑排水		雨水	汚水 + 雑排水 + 雨水		
分流式	汚水	雑排水	雨水	汚水 + 雑排水		雨水

2　排水管・トラップ

マンションから生じた排水は、**排水管**を通じて屋外に排出されます。通常は、重力によって上から下へ排水を流しますが、排水管は**管径の細いものほど詰まりやすく**、勾配を大きく（急に）しなければなりません。

また、下水からの悪臭やゴキブリなどの害虫が室内に侵入してくるのを防止するために、排水管の途中に水（「封水」といいます）を溜めて、**侵入を防止する**仕組みがトラップです。

〈Sトラップ〉

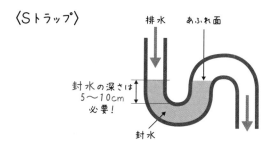

排水　あふれ面

封水の深さは
5〜10cm
必要！

封水

消防用設備等は、次のように分類されます。

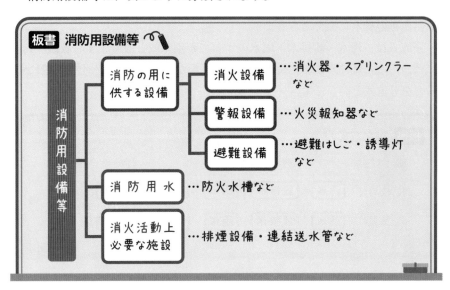

次の図が、消防用設備等の**例**です。

〈屋内消火栓設備〉　　　　　　　〈スプリンクラー設備〉

6 電気設備

200Vも
使えるようにすることが多いよ！

❶ 借室変電設備

　大規模なマンション等では、各住戸の契約電力（各戸契約）と共用部分の契約電力の総量が 50kW 以上となるので、いったん**高圧で引き込み**、建物内に設けた**借室電気室**（電力会社が使用する**電気室**）等を経由させた上で引き込んだ電気を**低圧に変圧**し、各住戸に電力を供給します。

❷ 配電方式

　マンションの住戸に電気を引き込む配電方式には、次の2つがあります。

〈単相2線式の配線図〉

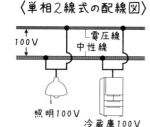

〈単相3線式の配線図〉

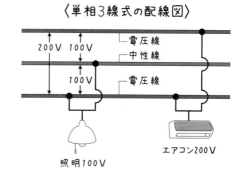

Sec.
1

マンションの建築・設備

　単相2線式の場合、電圧 100V の電気器具しか**使用できません**。これに対して、**単相3線式**では、**上下いずれかの電圧線と中央の中性線**（設置線）に接続した場合は 100V の電圧が供給され、また、上下両方の電圧線に接続すると合わせて 200V の電圧が供給されて、**100V** の電気器具と **200V** の電気器具を同時に使用できます。

　そのため、最近のマンションでは**単相3線式を採用するのが主流**です。

1 ガスマイコンメーター

　　　　ガスマイコンメーターには、「ガスの計量器」という役割だけでなく、次のような緊急の場合に、**ガスの供給を止める**という機能があります。

板書 「ガスマイコンメーター」の機能

・使用時間が異常に長い場合
・震度5弱以上の地震が発生した場合
・ガスの供給圧力が低下した場合
・ガスが不自然に大量に流れた場合

→ ガスの供給を
ストップする

2 給湯方式

マンションにおける給湯方式は、次のように分類されます。

板書 給湯方式の分類

1 局所式 給湯方式	浴槽やキッチン等の独立した箇所にそれぞれ瞬間式ガス湯沸かし器を設置して、即座に湯を供給する方式
2 住戸中央式 （セントラル式） 給湯方式	バルコニーやパイプスペース等の1箇所に設置された給湯器から配管によって浴槽やキッチン等に給湯する方式
3 住棟中央式 給湯方式	マンションの機械室に大型のボイラーや貯湯タンクを設置・配管して、各部屋に給湯を行う方式

3 「号数」

ガス給湯器の出湯能力は号数で表されます。号数は、「水温＋25℃のお湯を1分間に何ℓ出湯できるか」を表す数値になります。

ひとこと

例えば「24号」であれば、「水温＋25℃」のお湯を1分間に24ℓ出湯することができます。

Section 2　マンションの建築等に関する法規制

重要度　マA　管A

安全で快適なマンション生活を送るためには、マンションを建てるために適した場所に、安全な建物を建築するべきです。**立地の適否や建物の安全等の確保**については、法律によるさまざまな規制がありますので、**主要なもの**を見ていきましょう。

1　都市計画法

住みやすい街にするために
規制をかける法律だよ!

1　都市計画区域の指定

都市計画法は、**住みやすい街**をつくるための法律です。土地の利用の制限を目的としたさまざまな地域や、市街地の開発を行う（「**開発行為**」といいます）ための手続などを定めています。

都市づくりは、「都市計画のための場所を決める」という**都市計画区域の指定**から始まります。なお、都市計画は、原則的に**都市計画区域内**のみで行われ、都市計画区域「外」では行われません。

ひとこと

無秩序な建築等を防止する策として、「都市計画区域外」でも法規制をかけることができる「**準都市計画区域**」が指定される場合もあります。

2 都市計画の決定

都市計画区域の指定によって都市づくりをする「場所」が決まったら、次は都市づくりの中身を決める「**都市計画の決定**」に移行します。

都市計画の決定は、都市計画法が用意しているさまざまな"**都市計画のメニュー**"から、適切なものを選んであてはめる、という手法で行われます。

3 区域区分

都市計画のメニューの中で、最も重要なものは区域区分です。

区域区分とは、都市計画区域内を、都市の中心部の市街地となるべき「**市街化区域**」とそれ以外の「**市街化調整区域**」の2つに区分けすることです。都市計画区域のすべてを家だらけの街並みにしてしまうと、息苦しく住みにくい都市となるので、「市街化すべき場所」と「そうでない場所」に**線引き**して、開発に歯止めをかけています。

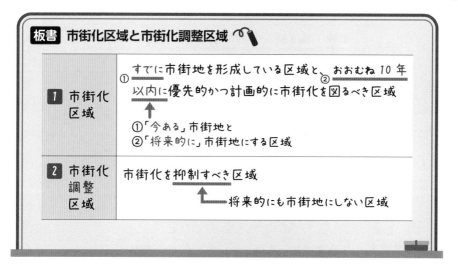

板書 **市街化区域と市街化調整区域**

1	**市街化区域**	すでに市街地を形成している区域と、おおむね10年以内に優先的かつ計画的に市街化を図るべき区域 ①「今ある」市街地と ②「将来的に」市街地にする区域
2	**市街化調整区域**	市街化を抑制すべき区域 将来的にも市街地にしない区域

🐧 **ひとこと**

区域区分は、すべての都市計画区域で行われるわけではなく、地域の実情に合わせて、区域区分を定めない「**非線引き区域**」を設ける場合もあります。

Sec.
2

マンションの建築等に関する法規制

1 建築基準法の目的

建築物は、私たちの日常生活にさまざまな影響を与えます。その構造が危険だと私たちの生命も脅かされますし、住宅が密集したところでは、日照の問題や防火対策の不足で大災害が引き起こされるおそれもあります。

建築基準法は、建築物が安全で、かつ、環境を破壊したり、人々の暮らしに害をもたらすことのないよう、**建築に関する**最低基準を定めています。

2 用語の定義

建築基準法に規定されている用語のうち、主要なものを見てみましょう。

板書 用語の定義

特殊建築物	学校・体育館・病院・劇場・百貨店・共同住宅等 ↑不特定多数の人が出入りするところ ↑マンションも該当する！
建築設備	電気・ガス・給排水・換気・冷暖房・消火・排煙・汚物処理の設備・煙突・昇降機（エレベーター）・避雷針
居室	居住・執務・作業・集会・娯楽その他のために継続的に使用する室
主要構造部	壁・柱・床・梁・屋根・階段 ⚠最下階の床は含まれない ⚠屋外階段は含まれない
建築	建築物の新築・増築・改築・移転

3 建築基準法 ②

都市計画区域と
連動した規定もあるよ！

1 単体規定と集団規定

建築基準法の規定は、**単体規定**と**集団規定**の2つに分けられます。

板書 建築基準法の規定の種類

1 単体規定…各建築物そのものの安全性を確保するための規定

↑
建築物すべての目標だから、全国で一律に適用される

2 集団規定…周囲の建築物との関係を考慮して都市環境の
整備を図るための規定

↑
原則として「都市内」（都市計画区域内・
準都市計画区域内）に限定して適用する

2 主な単体規定

❶ 採光・換気

居室には、**採光や換気**のために、窓その他の開口部を設けなければなりません。原則、採光や換気のための面積は、その居室の床面積に対して、次の割合にする必要があります。

板書 採光・換気に必要な開口部の面積

1 採光 … $\frac{1}{7}$ 以上　　**2** 換気 … $\frac{1}{20}$ 以上

↑　　　　　　　　　　　　　↑
一定の照明設備を設置すれば　　一定の換気設備を設置すれば
$\frac{1}{10}$ まで緩和　　　　　　　開口部不要

❷ 避雷設備と非常用昇降機

　建築物には、その高さによって、原則、次のように、**避雷設備**や**非常用の昇降機**（エレベーター）を設けなければなりません。

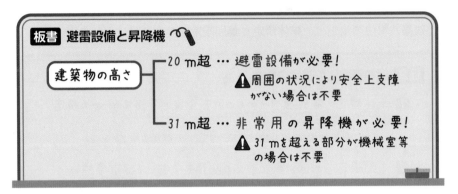

板書 避雷設備と昇降機

建築物の高さ
- 20 m超 … 避雷設備が必要！
  - ⚠ 周囲の状況により安全上支障がない場合は不要
- 31 m超 … 非常用の昇降機が必要！
  - ⚠ 31 mを超える部分が機械室等の場合は不要

3　主な集団規定
❶ 建蔽率

　建蔽率とは、敷地面積に対する建築物の**建築面積の割合**のことです。この上限を定めて、建築物の周囲にスペースを設けることで日照・通風を確保し、防災や市街地の環境維持等を図っています。

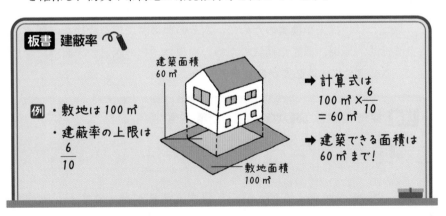

板書 建蔽率

建築面積
60 ㎡

例
- 敷地は 100 ㎡
- 建蔽率の上限は $\frac{6}{10}$

敷地面積
100 ㎡

➡ 計算式は
$100 ㎡ × \frac{6}{10}$
$= 60 ㎡$

➡ 建築できる面積は 60 ㎡ まで！

❷ 容積率

容積率とは、敷地面積に対する建築物の**延べ面積（各階の床面積の合計）の割合**をいいます。この上限を定めて、敷地内における建築物の大きさを制限し、間接的に建築物の高さを抑えて、周囲の環境とのバランスを図っています。

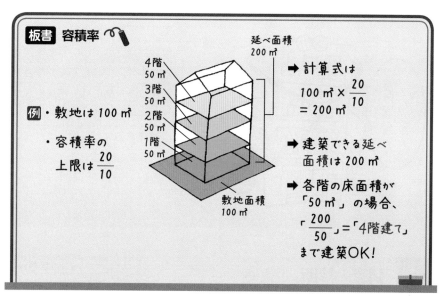

板書 容積率

例
・敷地は 100 ㎡
・容積率の上限は $\frac{20}{10}$

4階 50 ㎡
3階 50 ㎡
2階 50 ㎡
1階 50 ㎡

延べ面積 200 ㎡

敷地面積 100 ㎡

➡ 計算式は
$100 ㎡ × \frac{20}{10}$
$= 200 ㎡$

➡ 建築できる延べ面積は 200 ㎡

➡ 各階の床面積が「50 ㎡」の場合、
「$\frac{200}{50}$」=「4階建て」
まで建築OK！

ひとこと

❶の建蔽率の上限も❷の容積率の上限も、その地域の特性に応じて、都市計画によって指定されます。

Sec.
2

マンションの建築等に関する法規制

Section 3 マンションの維持保全

この Section で学ぶこと

維持保全が大事！

新築時はピカピカのマンションでも、年数が経てばいろいろと不具合が出てきます。安心してマンションに住み続けるためには、**不具合がないかを随時チェック**し、もし問題があれば**修繕**するなど、常日頃からの**メンテナンス**が必要です。

1 調査・診断

> マンションの状態は常にチェックしなければ！

1 調査・診断の必要性

マンションの建物や設備機器類のあちこちで起こる、**劣化や不具合**を放置すると、たとえ軽微なものであっても他の部分にも徐々に波及していって、結果的にマンションの寿命を縮めてしまうおそれがあります。

そのため、マンションを適切に維持保全するためには、**マンションの調査・診断が不可欠**です。

2 調査・診断の流れ

調査・診断を行う対象や目的によって違いはありますが、一般的には、次のような流れで行われます。

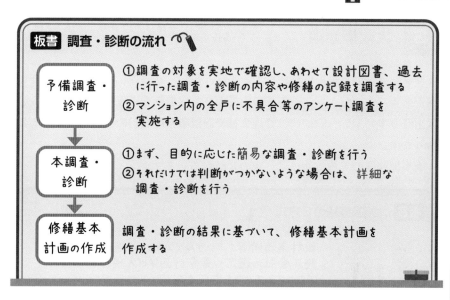

板書 調査・診断の流れ

予備調査・診断	①調査の対象を実地で確認し、あわせて設計図書、過去に行った調査・診断の内容や修繕の記録を調査する ②マンション内の全戸に不具合等のアンケート調査を実施する
本調査・診断	①まず、目的に応じた簡易な調査・診断を行う ②それだけでは判断がつかないような場合は、詳細な調査・診断を行う
修繕基本計画の作成	調査・診断の結果に基づいて、修繕基本計画を作成する

---

2 長期修繕計画

> なんと25年〜30年先まで！
> 長期スパンの修繕計画だよ！

　マンションを長期間維持保全するには、**一定の築年数の経過ごとに、計画的に修繕を行う**ことが必要です。マンションの管理組合は、将来を見越して、次の内容の長期修繕計画を立てておかなければなりません。

板書 長期修繕計画の内容

1 計画期間を <u>30年程度以上</u>とする

2 工事すべき<u>各部位</u>ごとに修繕周期や工事金額等を定める

　　　　　　例 外壁補修・屋上防水・給排水管の取替え・窓や玄関扉などの開口部

3 全体の工事金額を定める

4 長期修繕計画の内容については<u>定期的に見直しをする</u>

　　　　　　おおむね5年程度ごと！

　マンションの大規模な修繕をする際は、当然、建築等に関する専門的な知識が必要です。しかし、そこまで大掛かりな取組みを管理組合のみで行うのは困難ですので、一般的に、**管理会社や設計事務所などの協力を得る**ことになります。

　大規模修繕の実施方法には、次の3つがあります。

板書 大規模修繕の3方式 🔍	
1 設計監理方式	設計事務所等をコンサルタントとして選任し、施工会社の選定や資金計画など大規模修繕のプロセスのすべてを委託する
2 責任施工方式	管理組合の発意の後、数社の施工会社に呼びかけ、そのうち1社を選んで工事を請け負わせる
3 管理会社主導方式	工事費用の見積の比較や施工会社の選定、工事施工実施計画の作成などをマンション管理会社が主導して行う

ひとこと

　1は、全体の統括者と実際の施工業者とを分けることで工事の厳正な監理が可能となり、望ましいといえます。他方、**2 3**の場合は、第三者的な立場による厳正なチェックは期待できません。

CHAPTER6 建築・設備　過去問チェック！

問1　Sec.1 ①

鉄骨鉄筋コンクリート構造は、鉄骨の骨組みの周囲に鉄筋を配しコンクリートを打ち込んだものである。 （▼R元）

問2　Sec.1 ③

ポンプ直送方式では、水道本管から分岐して引き込んだ水を一度受水槽に貯水した後、加圧（給水）ポンプで直接加圧した水を各住戸に供給する方式で、高層水槽は不要である。 （▼H25）

問3　Sec.1 ④

マンションの排水方式の分流式とは、「汚水」と「雑排水」とが別々の排水系統であることをいい、公共下水道の分流式とは、「汚水」と「雑排水及び雨水」とが別々の下水系統であることをいう。 （▼H26）

問4　Sec.1 ⑥

単相3線式では、電圧線と中性線を使用することで、100ボルトの電気機械器具が利用できる。 （管H25）

問5　Sec.2 ①

市街化区域は、すでに市街地を形成している区域およびおおむね10年以内に優先的かつ計画的に市街化を図るべき区域とされている。 （▼H22）

問6　Sec.2 ②

居室とは、居住、執務、作業、集会、娯楽その他これらに類する目的のために継続的に使用する室をいう。 （管R3）

問7　Sec.2 ②

建築基準法に定める「主要構造部」には、最下階の床は含まれない。 （管R元）

問 8 Sec.2 ❸

共同住宅の地上階における居室には、採光のための窓その他の開口部を設け、その採光に有効な部分の面積は、原則として、その居室の床面積に対して7分の1以上としなければならない。

(🔽 H27 改)

問 9 Sec.2 ❸

居室には、政令で定める技術的基準に従って換気設備を設けた場合を除いて、換気のための窓その他の開口部を設け、その換気に有効な部分の面積は、その居室の床面積に対して、20分の1以上とすること。

(🔲 H25)

問 10 Sec.2 ❸

高さ25mの共同住宅について、周囲の状況によって安全上支障がない場合は、避雷設備を設ける必要はない。

(🔽 R3)

解答

問1	○

問2 ○

問3 ✕　公共下水道の分流式とは、「汚水及び雑排水」と「雨水」とが別々の下水系統であることをいう。

問4 ○

問5 ○

問6 ○

問7 ○

問8 ○

問9 ○

問10 ○

CHAPTER 7

マンション管理 適正化法

Sec. 1 「マンション管理適正化法」とは

Sec. 2 マンション管理に関わる者

Sec. 3 マンション管理業者の義務

Sec. 4 基本方針等

「マンション管理適正化法」とは

重要度  マA 管A

このSectionで学ぶこと

マンション管理の現場には、常に「人・モノ・お金」のトラブルがつきものです。「人」は**マンション管理の専門家の不在**、「モノ」は**適切な修繕や建替えが困難なこと**、「お金」は**管理業者による管理費等の使い込み**などです。これらを解決して良好な居住環境を確保することが、マンション管理適正化法の目的です。

1　適正化法の目的

> マンションの居住環境を良くするための法律だよ！

　マンションでの良好な居住環境の維持には、居住者みんなが管理組合の運営に**当事者意識**を持って関わることや、運営をサポートする**法的な体制**がきちんと整えられていることが必要です。

　そのために、マンション管理士という、マンション管理に特化した資格や管理業者の登録制度を設けるなど、さまざまな制度や措置を整備し、マンション管理の適正化を推し進めるために作られたルールが、**マンション管理適正化法**です。

2 「マンション」の定義　敷地も「マンション」に含まれているよ！

　マンション管理適正化法が適用される「**マンション**」とは、次のものをいいます。

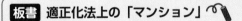

板書 適正化法上の「マンション」

1 ①**2以上の区分所有者がいる、居住用の専有部分のある建物**

同一人物が全室所有している
場合は非該当！

⚠居住用の専有部分が最低1つないと
ダメ！

⚠全部が店舗・事務所・倉庫など
の場合は非該当！

②**その敷地・附属施設**

敷地や附属施設も「マンション」に含まれる！

2 **一団地内において、2以上の区分所有者がいる建物で
居住用の専有部分のあるものを含む数棟の建物の所有者が
共有する敷地・附属施設**

　例えば、団地内に**1戸建ての建物**があった場合でも、その敷地を団地内のマンションの区分所有者たちと共有する場合、その敷地は「マンション」に含まれます。ただし、当然、1戸建ての建物そのものは、マンションではありません。

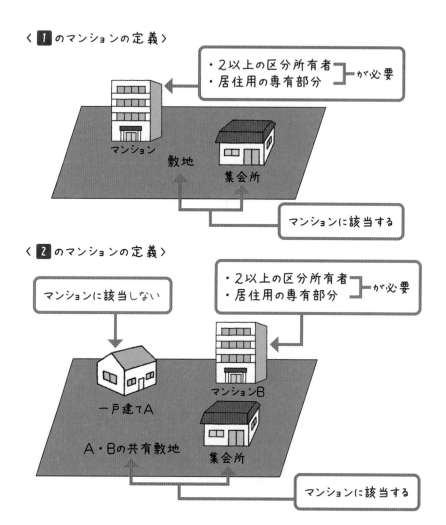

・2以上の区分所有者
・居住用の専有部分
　が必要

マンション　敷地　集会所

マンションに該当する

〈 **2** のマンションの定義 〉

マンションに該当しない

・2以上の区分所有者
・居住用の専有部分
　が必要

一戸建てA　マンションB　集会所

A・Bの共有敷地

マンションに該当する

3 マンション管理適正化指針

1 「適正化指針」とは

　マンション管理適正化法には、「**国土交通大臣**は、マンション管理の適正化の推進を図るため、基本的な方針を定めなければならない」と規定されています。

　この基本方針の1つが、マンション管理適正化指針です。この指針が示しているのは、あくまで留意すべき事柄や努力義務のため、**法的な拘束力はありません**が、マンション管理の**方向性を確認するうえで大切**です。

2 適正化指針の主な内容

　適正化指針の規定のうち、特に重要なものは、次のとおりです。

板書 適正化指針において特に重要な内容 💣

1 マンションの管理の主体は、マンションの区分所有者等で構成される管理組合である。
管理組合は、マンションの区分所有者等の意見が十分に反映されるよう、長期的な見通しをもって、適正な運営を行うことが重要である。

2 マンションの管理は、専門的な知識を必要とすることが多いため、管理組合は、問題に応じ、マンション管理士等の専門的知識を有する者の支援を得ながら、主体性をもって適切な対応をするよう心がけることが重要である。

3 管理組合の自立的な運営は、マンションの区分所有者等の全員が参加し、その意見を反映することにより成り立つ。
そのため、管理組合の運営は、情報の開示や運営の透明化等、開かれた民主的なものとする必要がある。

マンション管理に関わる者

重要度　マS　管S

この Section で学ぶこと

マンション管理の**主体は管理組合**ですが、管理のすべてを管理組合だけで行うことは困難です。マンション管理適正化法には、マンション管理に関わる重要な存在として、**マンション管理士・マンション管理業者・管理業務主任者**の3者が登場します。

1　マンション管理士

管理組合の"強い味方"だよ!

マンション管理士とは、専門的な知識をもって、管理組合の運営その他マンションの管理に関し、マンションの居住者等や管理組合の役員の相談に応じて、**助言**や**指導**・その他の**援助**を行うことを業務とする者をいいます。

マンション管理士でない者は、マンション管理士、またはそれと**紛らわしい名称**を使用してはなりません。しかし、名称を使わなければ、マンション管理士と同じ仕事をしても OK です。

ひとこと

マンション管理士のような資格を、「名称」独占資格といいます。その一方で、無資格者では名称を使えず、その業務も行えない「業務」独占資格もあり、**管理業務主任者**が該当します。

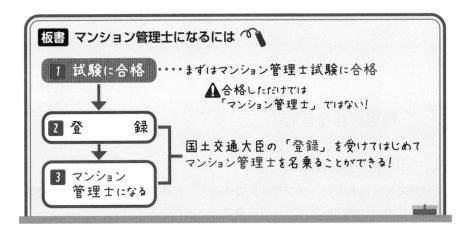

板書 マンション管理士になるには

1 試験に合格 ‥‥まずはマンション管理士試験に合格

⚠合格しただけでは
「マンション管理士」ではない！

2 登　録

3 マンション
管理士になる

国土交通大臣の「登録」を受けてはじめて
マンション管理士を名乗ることができる！

2 マンション管理業者

管理組合から管理の委託を受ける
業者さんのことだよ！

「マンション管理業者」とは、管理組合から委託を受けてマンションの管理事務を事業として継続して（＝「業」として）行う、国土交通大臣の登録を受けた業者をいいます。

　管理事務とは、マンションの管理に関する事務で、次の3つの事務（「基幹事務」といいます）を含むものをいいます。

板書 「基幹事務」とは

1 管理組合の会計の収入・支出の調定事務

2 管理組合の出納事務

3 マンション（専有部分を除く）の維持・修繕に関する企画・実施の調整事務

ひとこと
　調定事務とは、会計を調査して確定させる事務のこと、出納事務とは、管理費等の収納・管理費等の滞納者に対する督促・組合経費の支払など、お金の出し入れをする事務のことです。

この「3つの事務」は、マンション管理の中心（基幹）です。したがって、例えば、この基幹事務の委託を受けず、清掃業務や警備業務だけを行う場合は、「マンション管理業」ではありません。

3　管理業務主任者

管理業者に勤務するマンション管理の専門家だよ！

1　管理業務主任者とは

　管理業務主任者とは、マンション管理業者（管理会社）に勤務して、**管理業務主任者**だけが担当できる**4つの重要な業務**を行う専門家です。

板書 管理業務主任者の4つの業務	
1 重要事項の説明	管理委託契約を締結する前に、契約の重要な部分について、管理組合の管理者等に説明すること
2 重要事項説明時に交付する書面への記名	重要事項の説明をする際に、管理組合の管理者等に交付する説明内容を記載した書面に記名すること
3 契約成立時に交付する書面への記名	管理委託契約の締結後、管理組合の管理者等に交付する契約内容を記載した書面に記名すること
4 管理事務の報告	定期的に、管理組合の管理者等に対して、管理事務報告書を交付して、管理事務の報告をすること

ひとこと

　「重要事項説明時に交付する書面」、「契約成立時に交付する書面」、「管理事務報告書」は、電磁的方法により提供することもできます。

管理業務主任者になるには、管理業務主任者試験に**合格**し、管理業務主任者の**登録**を受けたうえで、さらに**管理業務主任者証の交付を受ける**ことが必要です。

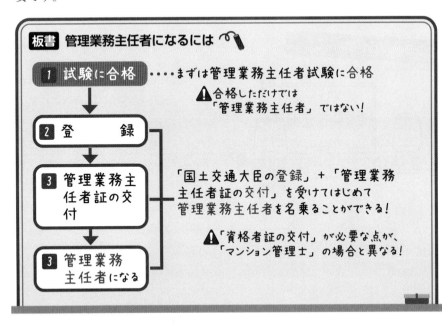

板書　管理業務主任者になるには

1　試験に合格　‥‥まずは**管理業務主任者試験に合格**

⚠合格しただけでは
「管理業務主任者」ではない!

2　登　録

3　管理業務主任者証の交付

「国土交通大臣の登録」+「管理業務主任者証の交付」を受けてはじめて管理業務主任者を名乗ることができる!

⚠「資格者証の交付」が必要な点が、「マンション管理士」の場合と異なる!

3　管理業務主任者になる

2　専任の管理業務主任者の設置義務

管理業務主任者が担当すべき業務を、確実に行うようにするためには、マンション管理業者の事務所に、**管理業務主任者が常勤**する状態にしておくべきです。そこで、マンション管理業者は、その事務所ごとに、管理の委託を受けた**管理組合数「30」**につき、1人以上の**専任の管理業務主任者**を置かなければなりません。

ひとこと

居住用の専有部分が5戸以下の管理組合からしか委託を受けていない事務所では、専任の管理業務主任者の設置は**不要**です。

マンション管理業者の義務

この **Section** で学ぶこと

定期総会
重要事項の説明

理事長

　管理組合と管理業者が締結する管理受託契約の内容は、非常に広範にわたりますので、管理組合としては、行われる管理事務の内容をきちんとわかっていないと不安です。そこで、マンション管理適正化法は、マンション管理業者に対して、**重要事項**についての説明など、さまざまな義務を課しています。

1　重要事項の説明

管理組合に契約内容をあらかじめ知ってもらうための手続だよ！

　管理受託契約後に生じるトラブルを防止するためには、管理受託契約締結の前に、契約内容を区分所有者等にしっかり理解してもらうことが大切です。

　そのため、管理業者には、管理組合との**契約締結前**に、次のように、あらかじめ「**重要事項の説明**」をすることが求められています。

ひとこと

　IT を利用した重要事項説明も可能です。

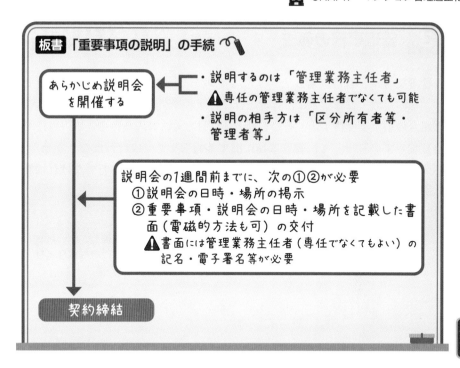

2 契約成立時の書面の交付

トラブルになったときに備えて、
契約書を交付しておこう！

　管理業者は、管理受託契約を**締結**した場合、管理者等に遅滞なく、管理業務主任者（専任でなくてもよい）が記名・電子署名等をした**契約成立時の書面**（電磁的方法も可）を交付しなければなりません。

ひとこと

　万一、契約上のトラブルが生じた場合に契約内容を確認できるようにするため、契約成立時に管理委託契約書を交付しておくのです。

　管理組合は、管理業者がどのような管理を行ったか把握しておくべきです。そのため、管理業者は、管理組合に管理者等が置かれている場合は、管理組合の事業年度終了後、その管理者等に対して、**管理業務主任者**（専任でなくてもよい）をして、**管理事務に関する報告**をさせなければなりません。この報告は、管理事務報告書（電磁的方法も可）を交付して行わなければなりませんが、管理業務主任者の記名・電子署名等は不要です。

ひとこと

　管理組合に管理者等がいない場合は、説明会を開催し、区分所有者等に対して管理業務主任者によって、説明させなければなりません。

基本方針等

この Section で学ぶこと

マンションを適切に管理していくには、国や地方公共団体等の協力が欠かせません。ここでは、国が作成する基本方針や都道府県等が作成するマンション管理適正化推進計画、管理計画の認定制度について学習します。

1 基本方針

マンションの管理に関する国の方針だよ

　国土交通大臣は、マンションの管理の適正化の推進を図るための基本的な方針（基本方針）を定めなければなりません。

板書 基本方針 🔖

1 マンションの管理の適正化の推進に関する基本的な事項

2 マンションの管理の適正化に関する目標の設定に関する事項

3 マンション管理適正化指針に関する事項

4 マンションがその建設後相当の期間が経過した場合その他の場合において当該マンションの建替えその他の措置に向けたマンションの区分所有者等の合意形成の促進に関する事項

5 マンションの管理の適正化に関する啓発および知識の普及に関する基本的な事項

6 マンション管理適正化推進計画の策定に関する基本的な事項

2　マンション管理適正化推進計画

都道府県等が作成するマンションの
管理の計画的な取り組みだよ

都道府県等は、基本方針に基づき、当該都道府県等の区域内におけるマンションの管理の適正化の推進を図るための計画（**マンション管理適正化推進計画**）を作成することができます。

3　管理計画の認定

適切な管理計画を持つマンションとして
認定を受けることができる制度だよ

1　管理計画の認定の申請

管理組合の管理者等は、国土交通省令で定めるところにより、当該管理組合によるマンションの管理に関する計画（**管理計画**）を作成し、マンション管理適正化推進計画を作成した都道府県等の長（**計画作成都道府県知事等**）の認定を申請することができます。

2　管理計画の内容

管理計画には、次に掲げる事項を記載しなければなりません。

板書　管理計画の内容 🔦

1　当該マンションの修繕その他の管理の方法

2　当該マンションの修繕その他の管理に係る資金計画

3　当該マンションの管理組合の運営の状況

4　その他国土交通省令で定める事項

3　認定の更新

管理計画の認定は、5年ごとにその更新を受けなければ、その期間の経過によって、その効力を失います。

CHAPTER7 マンション管理適正化法 過去問チェック！

問1 Sec.1 **2**

2人以上の区分所有者が居住している専有部分のある建物およびその敷地のほかに、駐車場、ごみ集積所等の附属施設もマンションに含まれる。 （管 H26）

問2 Sec.1 **3**

マンションの管理は、専門的な知識を必要とすることが多いため、管理組合は、問題に応じ、マンション管理士等専門的知識を有する者の支援を得ながら、主体性をもって適切な対応をするよう心がけることが重要である。 （管 R元）

問3 Sec.2 **1**

「マンション管理士」とは、マンション管理適正化法第30条第1項の登録を受け、マンション管理士の名称を用いて、専門的知識をもって、管理組合の運営その他マンションの管理に関し、管理組合の管理者等又はマンションの区分所有者等の相談に応じ、助言、指導その他援助を行うことを業務とする者をいう。 （マ H26）

問4 Sec.2 **2**

「管理事務」とは、マンションの管理に関する基幹事務（管理組合の会計の収入及び支出の調定及び出納並びにマンション（専有部分を除く。）の維持又は修繕に関する企画又は実施の調整をいう。）の一部を含むものをいう。 （マ H26）

問5 Sec.2 **3**

マンション管理業者が、その事務所ごとに置かねばならない成年者である専任の管理業務主任者の人数は、管理事務の委託を受けた管理組合（省令で定める人の居住の用に供する独立部分の数が5以下である建物の区分所有者を構成員に含むものは除く。）の数を30で除したもの（1未満の端数は切り上げる。）以上としなければならない。 （マ H28）

問6 Sec.3 **1**

マンション管理業者は、重要事項説明会の開催日の1週間前までに説明会の開催の日時及び場所について、管理組合を構成するマンションの区分所有者等及び管理組合の管理者等の見やすい場所に掲示しなければならない。　　　　　　　　　　（管 R3）

問7 Sec.3 **2**

マンション管理業者は、マンション管理適正化法第73条の規定により、同条第1項各号に定める事項を記載した書面等を作成するときは、専任の管理業務主任者をして、当該書面等に記名等させなければならない。　　　　　　　　　　（管 H27）

問8 Sec.3 **3**

マンション管理業者は、管理組合の管理者等に対し、管理事務に関する報告を行う際に、管理業務主任者を同席させていれば、管理業務主任者ではない従業者に当該報告をさせることができる。　　　　　　　　　　　　　　　　　　　　　　（管 H29）

問9 Sec.4 **3**

管理計画の認定は、10年ごとにその更新を受けなければ、その期間の経過によって、その効力を失う。　　　　　　　　　　　　　　　　　　　　　　　　　　（マ R4）

解答

問1 〇

問2 〇

問3 〇

問4 ✕　管理事務とは、マンションの管理に関する基幹事務の「全部」を含むものをいう。

問5 〇

問6 〇

問7 ✕　「専任」の管理業務主任者に記名等をさせる必要はない。

問8 ✕　管理事務の報告は、「管理業務主任者」が行わなければならない。

問9 ✕　5年ごとに更新を受けなければ失効する。

Index

あ行

悪意　95

意思表示　90

一部共用部分　13

委任契約　129

請負契約　126

エレベーター　205

か行

過失　95

換気　217

監事　35, 69

管理業務主任者　232

管理組合　7, 66

管理組合法人　32

管理行為　13

管理者　18

管理所有　21

管理費　63, 77, 80, 84

義務違反者に対する措置　38

規約　7, 22

規約敷地　14

給水設備　207

強迫　91

共有　110

共用部分　6, 8, 58, 79, 83

虚偽表示　92

区分所有　4

区分所有権　5

区分所有者　5

区分所有者に対する措置　39

契約不適合責任　118, 127

検索の抗弁権　141

建築基準法　216

建蔽率　218

顕名　97

鋼管コンクリート構造　203

工作物責任　148

構造上の独立性　4

さ行

採光　217

催告の抗弁権　141

債務不履行　132

詐欺　91

先取特権　145

錯誤　93

敷金　123

敷地利用権　16

時効　102

支払督促　189

借地権　171

借家権　172

集会の招集　26

修繕積立金　64, 80, 84

住宅品質確保法　178

住宅部会　84

取得時効　103

少額訴訟　188

小規模減失　42

昇降機　218

使用者責任　146

消費税　199

消防用設備等　210

消滅時効　104

仕訳　197

心裡留保　92

随伴性　141, 145

制振（震）構造　204

善意　95

占有者　6

占有者に対する措置　41

専有部分　6, 8, 58

総会の招集　70

相続　150

た行

大規模修繕　222

大規模滅失　42

対抗要件　108

耐震構造　204

代理　96

宅建業法　166

建替え決議　29, 45

建替え等円滑化法　158

団地　48

団地型の標準管理規約　78

団地総会　80

注文者の責任　149

長期修繕計画　221

賃借権の譲渡　124

定期建物賃貸借　176

抵当権　142

鉄筋コンクリート構造　203

手付　121

鉄骨構造　202

鉄骨鉄筋コンクリート構造　203

電気設備　211

転貸　124

店舗部会　84

棟総会　80

特別決議　29

都市計画法　214

トラップ　209

な行

二重譲渡　108

は行

排水設備　208

被災マンション法　162

必要費　123

表見代理　100

標準管理委託契約書　190

標準管理規約　56

避雷設備　218

不可分性　144

複合用途型の標準管理規約　82

付従性　140, 144

普通決議　29

物上代位性　144

不動産登記法　180

不法行為　146

分離処分の禁止　16

変更行為　13

法人税　198

法定敷地　14

補充性　141

保証　139

保存行為　13

ま行

マンション管理士　230

マンション管理適正化指針　229

マンション管理適正化法　226

無権代理　99

免震構造　204

や行

有益費　123

容積率　219

ら行

利益相反取引　69, 98

理事　34, 68

利用上の独立性　4

連帯保証　142

◎執筆者
　小澤 良輔（TAC専任講師）

◎本文イラスト／イラストワーク カムカム
　　　　　　　　都築 めぐみ
　　　　　　　　須藤 裕子

◎装丁／Nakaguro Graph（黒瀬 章夫）

2025年度版　みんなが欲しかった！
マンション管理士・管理業務主任者　合格へのはじめの一歩

（2019年3月28日　初　版　第1刷発行）

2024年12月10日　初　版　第1刷発行

編 著 者	TAC株式会社	
	（マンション管理士・管理業務主任者講座）	
発 行 者	多　田　敏　男	
発 行 所	TAC株式会社　出版事業部	
	（TAC出版）	

〒101-8383 東京都千代田区神田三崎町3-2-18
電話　03（5276）9492（営業）
FAX　03（5276）9674
https://shuppan.tac-school.co.jp/

組　　版	朝日メディアインターナショナル株式会社	
印　　刷	株式会社　光　　邦	
製　　本	東 京 美 術 紙 工 協 業 組 合	

© TAC 2024　　　Printed in Japan

ISBN 978-4-300-11550-3
N.D.C 673

1 「らくらくわかる! マンション管理士速習テキスト」を読み「マンション管理士 項目別過去8年問題集」を解く

つぎに!

試験に必要な
知識を身につける

2 「速攻マスターWeb講義」と「過去問攻略Web講義」を視聴する

講義トータル
約20時間(予定)

短期学習を可能に!
**独学専用
カリキュラム**

著者のWeb講義で
合格ポイントを効率的に吸収

さらに!

4

マンション管理士講座
「全国公開模試」
で総仕上げ

さらに!

学習効果を
さらに引き上げる!

3 「ラストスパート
マンション管理士 直前予想模試」
「法律改正点レジュメ」で直前対策!

独学では不足しがちな法律改正情報や最新試験対策もフォロー!

知識が
実戦力に!

**「独学で合格」のポイント
利用中のサポート** ➤ **法律改正点レジュメ・質問メール**

独学では、「正しく理解しているだろうか」「問題の解き方がわからない」、
「最新の法改正が手に入らない」といった不安がつきものです。
そこで独学道場では、「法律改正点レジュメ」と「質問メール」(5回分)をご用意!
学習を阻害する不安から解放され、安心して学習できます。

コンテンツPickup!

マンション管理士講座「全国公開模試」

『全国公開模試』は、多数の受験生が
受験する全国規模の公開模擬試験
です。独学道場をお申込の方は、こ
の全国公開模試を自宅受験または、
期日内に手続きを済ませれば、会場
受験も選択できます。詳細な個人成
績表はご自身が受験生の中でどの
位置にいるかも確認でき、ライバル
の存在を意識できるので、モチベー
ションが一気にアップします!

※会場受験は【定員制】となり、会場によっては満席となる場合がございます。あらかじめご了承ください。
※状況により、会場受験を見合わせる場合がございます。

お申込み・最新内容の確認

■ インターネットで

**TAC出版書籍販売サイト
「サイバーブックストア」にて**

TAC 出版 | 検索

https://bookstore.tac-school.co.jp/

詳細は必ず、TAC出版書籍販売サイト「サイバーブックストア」でご確認ください。

▶ 管理業務主任者独学道場もご用意しています!

管理業務主任者 独学道場

1 「管理業務主任者 基本テキスト」を読み「管理業務主任者 項目別過去8年問題集」を解く

つぎに!

試験に必要な知識を身につける

2 「速攻マスターWeb講義」と「過去問攻略Web講義」を視聴する

講義トータル 約17時間（予定）

短期学習を可能に！ 独学専用カリキュラム

POINT!

実力派講師のWeb講義で合格ポイントを効率的に吸収

4

TAC 管理業務主任者講座「全国公開模試」で総仕上げ

さらに！

知識が実戦力に！

学習効果をさらに引き上げる！

3 「ラストスパート 管理業務主任者 直前予想模試」「法律改正点レジュメ」で直前対策！

独学では不足しがちな法律改正情報や最新試験対策もフォロー！

「独学で合格」のポイント 利用中のサポート **法律改正点レジュメ・質問メール**

独学では、「正しく理解しているだろうか」「問題の解き方がわからない」、「最新の法改正が手に入らない」といった不安がつきものです。
そこで独学道場では、「法律改正点レジュメ」と「質問メール」（5回分）をご用意！
学習を阻害する不安から解放され、安心して学習できます。

コンテンツPickup！

管理業務主任者講座「全国公開模試」

『全国公開模試』は、多数の受験生が受験する全国規模の公開模擬試験です。独学道場をお申込の方は、この全国公開模試を自宅受験または、期日内に手続きを済ませれば、会場受験も選択できます。詳細な個人成績表はご自身が受験生の中でどの位置にいるかも確認でき、ライバルの存在を意識できるので、モチベーションが一気にアップします！

※会場受験は【定員制】となり、会場によっては満席となる場合がございます。あらかじめご了承ください。
※状況により、会場受験を見合わせる場合がございます。

お申込み・最新内容の確認

インターネットで

TAC出版書籍販売サイト「サイバーブックストア」にて

TAC出版 ［検索］

https://bookstore.tac-school.co.jp/

詳細は必ず、TAC出版書籍販売サイト「サイバーブックストア」でご確認ください。

▶ マンション管理士独学道場もご用意しています！

マンション管理士・管理業務主任者

2月～7月開講　初学者・再受験者対象

| マン管・管理業両試験対応 | W合格本科生S (全42回:講義ペース週1～2回) | マン管試験対応 | マンション管理士本科生S (全36回:講義ペース週1～2回) | 管理業試験対応 | 管理業務主任者本科生S (全35回:講義ペース週1～2回) |

合格するには、「皆が正解できる基本的な問題をいかに得点するか」、つまり基礎をしっかりおさえ、その基礎をどうやって本試験レベルの実力へと繋げるかが鍵となります。
各コースには「過去問攻略講義」をカリキュラムに組み込み、
基礎から応用までを完全マスターできるように工夫を凝らしています。
じっくりと徹底的に学習をし、本試験に立ち向かいましょう。

8月・9月開講　初学者・再受験者対象

管理業務主任者速修本科生
（全21回:講義ペース週1～3回）

管理業務主任者試験の短期合格を目指すコースです。
講義では難問・奇問には深入りせず、基本論点の確実な定着に主眼をおいていきます。
週2回のペースで無理なく無駄のない受講が可能です。

9月・10月開講　初学者・再受験者・宅建士試験受験者対象

管理業務主任者速修本科生 （宅建士受験生用）
（全14回:講義ペース週1～3回）

宅建士試験後から約2ヵ月弱で管理業務主任者試験の合格を目指すコースです。
宅建士と管理業務主任者の試験科目は重複する部分が多くあります。
その宅建士試験のために学習した知識に加えて、
管理業務主任者試験特有の科目を短期間でマスターすることにより、
宅建士試験とのW合格を狙えます。

11月実施　初学者・再受験者・宅建士試験受験者対象

全国公開模試 （マンション管理士／管理業務主任者）
（各1回）

本番に近い環境で本試験をシミュレーションできます。
全国会場受験と自宅受験から選択可能。過去に実施された全本試験を徹底研究して作られた最新の予想問題をご提供します。高精度の個人別成績表で弱点を把握した後は、Web解説講義で復習もでき、得点力アップが図れます。

※TAC各種本科生には全国公開模試が標準装備されています。

TACの学習メディア

教室講座　Web講義フォロー標準装備

- 学習のペースがつかみやすい、日程表に沿った通学受講スタイル。
- 疑問点は直接講師へ即質問、即解決で学習時間の節約になる。
- Web講義フォローが標準装備されており、忙しい方でも安心の受講環境をご提供。

ビデオブース講座　Web講義フォロー標準装備

- 都合に合わせて好きな日程・好きな校舎で受講できる。
- 不明点のリプレイ再生など、教室講座にはない融通性がある。
- 講義録（板書）の活用でノートをとる手間が省け、講義に集中できる。
- 静かな専用の個別ブースで、ひとりで集中して学習できる。

Web通信講座

Mac® でも！ Windows® でも！　スマートフォンでも！

- いつでも好きな時間に何度でも繰り返し受講できる。
- パソコンだけではなく、スマートフォンやタブレット、その他端末を利用して外出先でも受講できる。
- 講義録（板書）をダウンロードできるので、ノートに写す手間が省け講義に集中できる。

オンラインライブ通信講座　アーカイブ配信装備

- 講師・受講生同士でリアルタイムにつながることで通信学習の「孤独感」を感じることなく学習できる。
- リアクションボタンで他の受講生の「なるほど」「もやもや」を共有することで、各単元の重要度や難易度を体感しながら学習できる。
- コメント機能でリアルタイムに講師に質問が可能。

DVD通信講座　Web講義フォロー標準装備

- いつでも好きな時間に何度でも繰り返し受講することができる。
- ポータブルDVDプレーヤーがあれば外出先での映像学習も可能。
- 教材送付日程が決められているので独学ではつかみにくい学習のペースメーカーに最適。

マンション管理士・管理業務主任者

2025年合格目標　初学者・再受験者対象　2月〜7月開講

注目
「過去問攻略講義」で、過去問対策も万全！

マン管・管理業 両試験に対応	**W合格本科生S**
マン管試験 に対応	**マンション管理士本科生S**
管理業試験 に対応	**管理業務主任者本科生S**

ムリなく両試験の合格を目指せるコース　[学習期間] 5〜11ヶ月　[講義ペース] 週1〜2回

合格するには、「皆が正解できる基本的な問題をいかに得点するか」、つまり基礎をしっかりおさえ、その基礎をどうやって本試験レベルの実力へと繋げるかが鍵となります。

各コースには**「過去問攻略講義」**をカリキュラムに組み込み、基礎から応用までを完全マスターできるように工夫を凝らしています。じっくりと徹底的に学習をし、本試験に立ち向かいましょう。

▌カリキュラム〈W合格本科生S（全42回）・マンション管理士本科生S（全36回）・管理業務主任者本科生S（全35回）〉

INPUT［講義］

基本講義
全22回　各回2.5時間

マンション管理士・管理業務主任者本試験合格に必要な基本知識を、じっくり学習していきます。試験傾向を毎年分析し、その最新情報を反映させたTACオリジナルテキストは、合格の必須アイテムです。

民法／区分所有法等	9回
規約／契約書／会計等	6回
維持・保全等／マンション管理適正化法等	7回

マン管過去問攻略講義
全3回（※1）各回2.5時間
管理業過去問攻略講義
全3回（※2）各回2.5時間

過去の問題を題材に本試験レベルに対応できる実力を身につけていきます。マンション管理士試験・管理業務主任者試験の過去問題を使って、テーマ別に解説をおこなっていきます。

総まとめ講義
全4回　各回2.5時間

本試験直前におこなう最後の総整理講義です。各科目の重要論点をもう一度復習するとともに、横断的に知識を総整理していきます。

OUTPUT［答練］

基礎答練
全3回　70〜80分解説

基本事項を各科目別に本試験同様の四肢択一形式で問題演習を行います。早い時期から本試験の形式に慣れること、基本講義で学習した各科目の全体像がつかめているかをこの基礎答練でチェックします。

民法／区分所有法等	1回（70分答練）
規約／契約書／会計等	1回（60分答練）
維持・保全等	1回（60分答練）

マン管直前答練（※1）
全3回　各回2時間答練・50分解説
管理業直前答練（※2）
全2回　各回2時間答練・50分解説

マンション管理士・管理業務主任者の本試験問題を徹底的に分析。その出題傾向を反映させ、さらに今年出題が予想される論点などを盛り込んだ予想問題で問題演習をおこないます。

マンション管理士全国公開模試（※1）　全1回

管理業務主任者全国公開模試（※2）　全1回

マンション管理士本試験

管理業務主任者本試験

※5問免除科目であるマンション管理適正化法の基礎答練は、自宅学習用の配付のみとなります（解説講義はありません）。
（※1）W合格本科生S・マンション管理士本科生Sのカリキュラムに含まれます。
（※2）W合格本科生S・管理業主任者本科生Sのカリキュラムに含まれます。

受講料一覧 (教材費・消費税10%込)

教材費は全て受講料に含まれています！別途書籍等を購入いただく必要はございません。

W合格本科生S

学習メディア	通常受講料	宅建割引制度	再受講割引制度	受験経験者割引制度
教室講座 🎓※	¥143,000	¥110,000	¥96,800	¥110,000
ビデオブース講座 🎓※				
Web通信講座 🎓				
オンラインライブ通信講座				
DVD通信講座 🎓	¥154,000	¥121,000	¥107,800	¥121,000

※一般教育訓練給付制度は、2月開講クラスが対象となります。予めご了承ください。

マンション管理士本科生S

学習メディア	通常受講料	宅建割引制度	再受講割引制度	受験経験者割引制度
教室講座	¥132,000	¥99,000	¥86,900	¥99,000
ビデオブース講座				
Web通信講座				
オンラインライブ通信講座				
DVD通信講座	¥143,000	¥110,000	¥97,900	¥110,000

管理業務主任者本科生S

学習メディア	通常受講料	宅建割引制度	再受講割引制度	受験経験者割引制度
教室講座	¥126,500	¥95,700	¥83,600	¥95,700
ビデオブース講座				
Web通信講座				
オンラインライブ通信講座				
DVD通信講座	¥137,500	¥106,700	¥94,600	¥106,700

2023年マンション管理士／管理業務主任者 合格者の声

阿部 好一 さん

W合格本科生S／マンション管理士／管理業務主任者／W合格

長年各試験傾向を分析されてきた専門の先生から効率的学習方法やポイントを得られると感じたため受講しました。教科書を自分で読んでいくだけでは、たくさん項目がありよく理解せず読み流してしまうところを、要点について先生がピックアップし、わかりやすく解説してくださったことにより理解が深まりました。

藤尾 公則 さん

W合格本科生S／マンション管理士／管理業務主任者／W合格

学習開始時点から丁寧でわかりやすい説明に助けられ、直前期にはビジュアルなレジュメによる熱心な講義が、私にとって土曜日の集中学習に最適となりました。「総まとめ講義用教材」のテキストは、書き込みと資料の貼り付けで、手垢で汚れるほど使いこなし、試験会場への持ち込みもこの一冊で十分と言えるほどに大変役に立ちました。

お申込みにあたってのご注意

※0から始まる会員番号をお持ちでない方は、受講料のほかに別途入会金（¥10,000・10%税込）が必要です。会員番号につきましては、TAC各校またはカスタマーセンター（0120-509-117）までお問い合わせください。

※上記受講料は、教材費・消費税10%が含まれます。

※コースで使用する教材の中で、TAC出版より刊行されている書籍をすでにお持ちの方は、TAC出版刊行書籍を受講料に含まないコースもございます。

※各種割引制度の詳細はTACマンション管理士・管理業務主任者講座パンフレットをご参照ください。

書籍の正誤に関するご確認とお問合せについて

書籍の記載内容に誤りではないかと思われる箇所がございましたら、以下の手順にてご確認とお問合せをしてくださいますよう、お願い申し上げます。

なお、正誤のお問合せ以外の書籍内容に関する解説および受験指導などは、一切行っておりません。
そのようなお問合せにつきましては、お答えいたしかねますので、あらかじめご了承ください。

1 「Cyber Book Store」にて正誤表を確認する

TAC出版書籍販売サイト「Cyber Book Store」の
トップページ内「正誤表」コーナーにて、正誤表をご確認ください。

CYBER TAC出版書籍販売サイト
BOOK STORE

URL:https://bookstore.tac-school.co.jp/

2 1の正誤表がない、あるいは正誤表に該当箇所の記載がない ⇒ 下記①、②のどちらかの方法で文書にて問合せをする

★ご注意ください★

お電話でのお問合せは、お受けいたしません。
①、②のどちらの方法でも、お問合せの際には、「お名前」とともに、
「対象の書籍名(○級・第○回対策も含む)およびその版数(第○版・○○年度版など)」
「お問合せ該当箇所の頁数と行数」
「誤りと思われる記載」
「正しいとお考えになる記載とその根拠」
を明記してください。
なお、回答までに1週間前後を要する場合もございます。あらかじめご了承ください。

① ウェブページ「Cyber Book Store」内の「お問合せフォーム」より問合せをする

【お問合せフォームアドレス】

https://bookstore.tac-school.co.jp/inquiry/

② メールにより問合せをする

【メール宛先 TAC出版】

syuppan-h@tac-school.co.jp

※土日祝日はお問合せ対応をおこなっておりません。
※正誤のお問合せ対応は、該当書籍の改訂版刊行月末日までといたします。

乱丁・落丁による交換は、該当書籍の改訂版刊行月末日までといたします。なお、書籍の在庫状況等により、お受けできない場合もございます。
また、各種本試験の実施の延期、中止を理由とした本書の返品はお受けいたしません。返金もいたしかねますので、あらかじめご了承くださいますようお願い申し上げます。

(2022年7月現在)